フランスの
小さくて
温かな暮らし
365日

大切なことに気づかせてくれる

日々のヒント

トリコロル・パリ
荻野雅代　桜井道子

JIYUKOKUMINSYA

Préface
はじめに

こんにちは。フランスに暮らす日本人ふたり組ユニット「トリコロル・パリ」です。『フランスの小さくて温かな暮らし365日　大切なことに気づかせてくれる日々のヒント』は、フランスの1年365日を、実際に生活する私たちの目線から紹介する本です。フランスのさまざまな伝統や習慣がわかる歳時記であり、日々の暮らしで感じたことや気づいたこと、いたって個人的な思い出を綴った日記でもあります。フランスを旅したことがある人もそうでない人も、それぞれが思い描くフランス像があると思います。365のコラムを読んでいく中で、共感したり、驚いたり、納得できなかったり、うらやましいなぁと感じたり、フランスのいろんな表情を見つけてもらえると思います。

最初のページからじっくり読み込まなくても、日めくりカレンダーのように毎日少しずつ読んだり、興味を惹かれた写真のページから読んだり、自由に楽しんでいただけると思います。また、関係のある話題へのリンクを、例えば → 30/365 という風に表示しています。日々のつながりも感じてもらえたらうれしいです。

この本はコロナ禍以前に書き始め、真っ只中に書き終わりました。今、世界が直面している未曾有の状況は、フランスの日常生活にも大きな影響を及ぼしています。コロナ禍以後には、さまざまな変化が待ち受けているかもしれませんが、ここに書き留めたフランスの文化や、フランスらしさのようなものが、消えることなく続いていくことを祈っています。

2021年1月
トリコロル・パリ（荻野雅代・桜井道子）

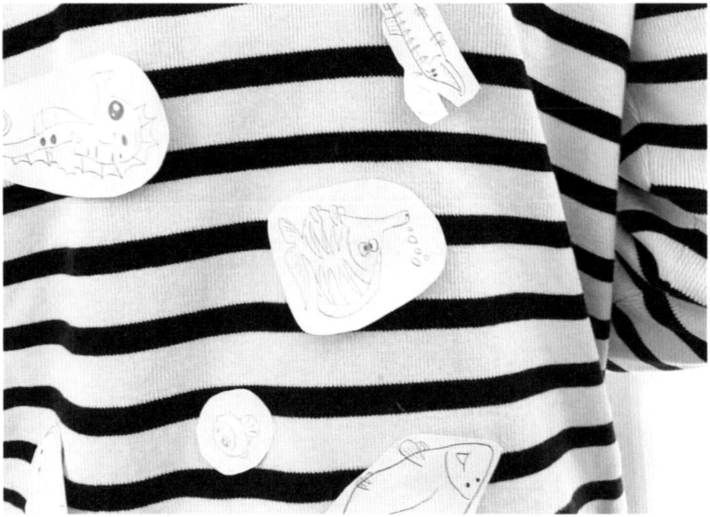

4月1日

フランスのエイプリルフール

4月1日は、1年のうちで唯一、堂々と嘘をついても良い日とされるエイプリルフール。この不思議な風習の起源には諸説ありますが、フランスでは「Poisson《ポワソン》 d'Avril《ダヴリル》（4月の魚)」と呼ばれ、紙に描いた魚を切り抜いて、そ〜っと気づかれないよう友達や大人たちの背中に貼り付けるというのが、一般的な子どもたちのいたずら。テレビ番組や新聞、雑誌で嘘のニュースを発信するといった大々的ないたずらも、随分前から楽しまれています。最近では2016年のパリのメトロのエイプリルフールが最高でした。ホームの駅名表示のいたずらで、例えば「ピレネー駅」は「アルプス駅」に、「アレクサンドル・デュマ駅」は「三銃士駅」に、「電信駅」は「#ツイート駅」に、「水の城駅」は「砂の城駅」に、「9月4日駅」は「4月1日駅」といった具合に変更。気づいた利用者たちの笑いを誘っていました。

2 | avril

2 / 365

4月2日

バルコニーを飾るゼラニウム

４月から10月にかけての比較的長い期間花が咲き、カラフルに彩ってくれるゼラニウムは、フランスでも人気のお花です。道路に面した窓の下の小さなバルコニーにゼラニウムがあふれんばかりに咲いていると、街全体の雰囲気までが明るくなるようです。とりわけ石造りの建物には、赤やピンクの華やかなゼラニウムが映えます。歩道を歩いているときに上から水やりの水が落ちてくることがよくあるのは、ご愛嬌ということで…。これまで訪れた中では、アルザス地方が一番、窓辺の花が素敵でした。どの村の建物もお花でいっぱいでかわいらしく、おとぎ話の世界にいるようでした。

フランスには花々や緑地を増やし、街の景観をより良くするよう努力している町や村を評価する「Villes《ヴィル》 / Villages《ヴィラージュ》 fleuris《フルリ》（花いっぱいの町／村）」ラベルがあり、花のマーク４個が最高ランクの印。町中に誇らしげに表示されているので、探してみてください。

3 | avril

4月3日

不名誉なパリ名物

花の都パリを悩ませる問題のひとつが、犬のフンです。パリ旅行に来た人が、道に転がるフンの多さに驚くのはもう定番のエピソードになってしまいました。これはもちろん野良犬が多いからではなく、フンを片付けない飼い主が多いからです。飼い主に呼びかける看板を道路に立てたり、専用の吸引機を載せたバイクで掃除をしたり、パリ市も長年さまざまな対策をとってきましたが、なかなか解決には至らず。2002年からは飼い主の責任を明確にし、フンを放置した「現行犯」には68～180ユーロの罰金が課せられるようになりました。その後、状況は多少改善しているとはいえ、今でもパリ市清掃局が掃除をするフンの量は年間20トンにも及ぶとか。ちなみにパリで最も フンの放置が多いのは、随一の高級住宅地である16区だそうです。

犬のフンをうっかり踏んだときのショックは大きいですが、せめて左足で踏めば良いことがある→ 30/365という言い伝えがあります。

4 | avril

4 / 365

4月4日

シャンゼリゼのど真ん中を歩ける日

自転車専用レーンを増やしたり、レピュブリック広場やバスティーユ広場など主要な広場をより歩行者優先に再整備したり、ここ数年、パリ市は自動車の交通量を減らす努力を続けています。その一環として、2016年から月1回、シャンゼリゼ大通りを歩行者天国にするイベントが始まりました。シャンゼリゼといえば、まさにパリ中心部の主要な道路のひとつで、絶え間なく車が通っている場所。それだけに、のんびり散歩できるありがたみもひとしおです。真ん中を歩くと、ルーヴル美術館、コンコルド広場から凱旋門、ラ・デファンスの新凱旋門まで一直線に続く見事な眺めや、立ち並ぶ建物の美しさを、普段見られない角度から満喫できます。「シャンゼリゼにある高級ブランドやファストファッションブランドには興味ないし…」と敬遠していた人も、シャンゼリゼの美しさを再発見できるかもしれません。開催日は第1日曜日が多いですが、変更される月もあるのでご注意を。

4月5日

朝食には甘いもの

日本が大好きなフランス人のカップルが、念願叶って日本へ旅行に行き、大満足で帰ってきたのですが、彼らが唯一「どうしても苦手だった」と告白してくれたのが、旅館の朝食でした。和食は大好きだけれど、朝から塩鮭やお味噌汁を食べるのはどうも受け付けないし、量も多すぎたというのです。この反応、実は珍しいことではありません。

お隣の国イギリスに、ボリュームたっぷりで、塩味のものも食べる朝食の伝統があるのと対照的に、フランスの朝ごはんは甘いものを食べるのが普通で、しかも、たいていあまりたくさん食べません。もしかしたら、ランチとディナーの食事をしっかり楽しむために、朝食は軽くしておこうという意識があるのかもしれません。バゲットにバターとジャムをつけたタルティーヌをコーヒーやホットチョコレートに浸して食べるのが、最も典型的なフランスの朝ごはん。ちなみにクロワッサンは贅沢品なので、週末の朝限定という家庭が多そうです。

6 | avril

6 / 365

4月6日

プラリュリーヌで朝から幸せ

リヨンの北西およそ80kmほどのロアンヌという町でパティスリーを営んでいたオーギュスト・プラリュが、1955年に売り出して瞬く間に人気を博した「プラリュリーヌ」。バターたっぷりの生地に香ばしいピンク色のプラリネがごろごろ入ったブリオッシュです。息子のフランソワ・プラリュがこれを受け継ぎ、60余年を経た今も愛され続けています。バターの風味が濃厚でしっかり甘い、まさにフランスの朝ごはんにぴったりの贅沢な一品。常温で数日間保存できるので、日本に持って帰ることもできます。フランソワ・プラリュは最高級カカオ豆選びからチョコレートを作るまでの全工程を自ら行う、フランスでも数少ない「ビーントゥバー」のショコラティエでもあり、そのチョコレートのおいしさには定評があります。現在はチョコレートとともに「プラリュリーヌ」も地元ロアンヌだけでなく、パリやリヨンなど各地にオープンした店舗でも買えるようになりました。

7 | avril

4月7日

ゼロウェイストへのフランス的アプローチ

エコ＆オーガニック先進国のフランスで、さらにその先を見据えた新しい取り組みとして急速な広がりを見せているのが、ゴミを極力減らす生活を目指す「ゼロウェイスト」。パリだけでなく、地方都市にも包装パッケージを排した店舗が誕生し、そのほとんどがオーガニック製品の専門店でもあります。店内には、透明のディスペンサーやケースの中に、シリアル、パスタ、砂糖、小麦粉、米、オイル、ワイン、ナッツ類など、バラエティーに富んだ食品が並び、客が持参した空瓶に欲しい商品を好きなだけ入れて、量り売りしてもらえるスタイル。製品を説明するイラストが壁にかけられていたり、ル・パルフェの密閉ジャーやかわいいエコバッグが並んでいたりと、こういった店にありがちな簡素でがらんとした印象はなく、おしゃれに楽しみながら取り組んでいるところがフランス的。最近では、洗剤や石鹸、シャンプーなど幅広い日用雑貨の量り売りが可能な店も増えています。

8 | avril

8
/
365

4月8日

通りの名前

フランスでは中世の昔から、すべての道や広場に名前を付ける習慣があります。通りの名前で一番多いのは歴史上の人物で、ダントツの１位はシャルル・ド・ゴール。凱旋門のある広場をはじめ、全国で3900を超える通り、広場、河岸にその名が使われています。第二次大戦中はレジスタンス運動を支え、戦後は大統領として、現在まで続く第５共和政を開始した重要人物です。低温殺菌や予防接種などを開発した化学者のルイ・パスツール、文豪ヴィクトル・ユーゴー、社会党の創設者であるジャン・ジョレス、レジスタンスの指導者の１人でナチス・ドイツに処刑されたジャン・ムーランは2000以上の通りに名前が使われています。カテゴリー別では文学者が一番多く、続いて政治家、科学者、音楽家、軍人やレジスタンス活動家、芸術家などが続きます。通り名のプレートには生没年と職業も書かれているので、足を止めて、どんな人だったのか思いを馳せてみるのも楽しいでしょう。

9 | avril

9 / 365

4月9日

パッサージュを歩く愉しみ

ガラス天井が覆う細い通路に小さなお店が並ぶパッサージュは、古き良き時代のパリを偲ばせる屋内商店街。1799年に誕生したパリ最古の「パッサージュ・デ・パノラマ」は、建築当初、客寄せのために作られた円形パノラマ（回転画）が名前の由来。今も当時の雰囲気を残す活版印刷店や切手商、グルメなレストランが並び、活気にあふれています。モンマルトル大通りを挟んだ向かい側に建つ「パッサージュ・ジュフロワ」は、雑貨屋さんやミニチュア人形の専門店、ステッキや傘を売るお店、蝋人形館が連なり、ウィンドウを眺めるだけでもパリらしい雰囲気を満喫できます。映画『地下鉄のザジ』で、ザジが元気に駆け抜けた「パッサージュ・デュ・グラン・セール」や「ギャルリー・ヴィヴィエンヌ」は、床のモザイクも当時のまま。雑貨店や書店、カフェなど多くの店が並び、とてもにぎやかです。

10 | avril

10 / 365

4月10日

春の楽しみ、フレジエ

この季節、お店で見かけるとつい買ってしまうフレジエは、ケーキ屋さんはもちろん、町の小さなパン屋さんでも売られている素朴で庶民的ないちごのケーキです。主役は旬のいちごですが、そのおいしさを引き立てるクレーム・ムスリーヌも大切な存在。クレーム・パティシエール（カスタードクリーム）とバターを合わせたクリームは口当たりはフワッと、食べると案外どっしりとくる不思議な味わいで、生クリームとはまた違ったクセになる魅力があります。長方形にカットされたものが一般的で、きれいに並べられたいちごの断面の美しさもフレジエの醍醐味。春が来るたび、甘いいちごとやわらかなジェノワーズ生地、そしてなめらかなクレーム・ムスリーヌがバランスよく組み合わさった完璧なフレジエに出会えるのが楽しみです。

4月11日

挨拶に始まり、挨拶に終わる

フランスに暮らすようになってどんな場所でも自然と挨拶する習慣が身に付きました。日本のお店では店員さんからの「いらっしゃいませ」に対して軽く会釈する程度でしたが、フランスでは客から「Bonjour《ボンジュール》」、夕方なら「Bonsoir《ボンソワール》」と挨拶し、それに対してお店側が挨拶し返すというのがしきたりです。うっかり無言で入店すると嫌な印象を与えかねず、よってひどい対応をされる場合もあります。また、たとえ何も買わなくても客の方から「Merci《メルシー》, au《オ》 revoir《ルヴォワール》（ありがとう、さようなら）」と言いながら店を出ます。スーパーのレジ係にも自分の順番が来たらまずは挨拶。待合室やエレベーターのような狭い場所も同じく、新しく人が来たら挨拶し合います。人に何かを尋ねる時も挨拶から入るとスムーズで、さらにムッシュー、マダムと敬称を付けたら完璧→ 279/365。笑顔での挨拶はフランスで気持ちよく過ごすコツのひとつです。

4月12日

大統領が味わうバゲット

フランス人にとってバゲットは日々の食卓に欠かせないもの。工場で作られた冷凍パンを焼くだけのチェーン店も増えている中、伝統的なパン作りを守る努力が続けられています。パリ市が毎年4月に開催するバゲット大賞もそんな取り組みのひとつ。パリ市内のパン屋さんが参加できるコンクールで、長さ 55 〜 65cm、重さ 250 〜 300g のサイズ規定をクリアしたバゲットを提出します。審査員は味、外の焼き加減、中身の見た目、香り、形を審査し、優秀バゲットを 10 位まで発表。お店の名前だけでなく、職人さんの名前も明記されるところに職人技へのリスペクトが感じられます。晴れて最優秀賞を獲得したパン職人は 4000 ユーロの賞金のほか、大統領官邸に1年間バゲットを納める栄誉を受けます。過去に優勝したパン屋さんもお店に「○○年バゲット大賞受賞」と誇らしく掲げ、パリジャンだけでなく外国からの観光客までもが押し寄せるほど、権威のあるコンクールなのです。

13 | avril

4月13日

フランスの編みかごは永遠の定番

藁《わら》やコリヤナギといった天然素材で編まれたかごは「パニエ(Panier)」と呼ばれ、フランス人にとって日々の生活に欠かせない日用品のひとつ。街角にあるドログリー（日用雑貨店）の軒先にはさまざまな形や大きさのパニエがぶら下がっていて、眺めているだけでも楽しいものです。

マルシェで買い物をする人たちは、年季の入った愛用のパニエを持参しています。口が広く台形をひっくり返したような形の平たいパニエが一般的ですが、卵やいちごのようなつぶれやすい食材を運ぶためのかごは、枝のようなしっかりとした素材で編まれていて、品物が重ならないよう底が浅く横に長い形だったり、落花生の殻を半分に割ったような２つのふくらみがあったりします。まるで卵の入った鳥の巣をそっと持ち運んでいるような姿が、とてもほほ笑ましいです。

14 | avril

14 / 365

4月14日

ひとりラクレットもできちゃうお手軽チーズ

「Babybel《ベビーベル》（フランス人は「バビベル」と発音）」は、真っ赤なワックスのシェルに包まれた丸い形のチーズ。直径10cmほどのオリジナル版と、ふた口サイズのミニがあります。ほのかな塩気を感じさせるやさしくてクセのない味と、濃厚で弾力のある歯触りも魅力ですが、なんと言っても、チーズが赤いワックスの中に隠れているところにグッときます。ワックスからちらりとのぞくテープを引っ張ると、シェルが２つに割れて中からチーズが顔を出します。1950年代の発売当初は、きっと斬新で画期的な方法だったことでしょう。日持ちもするし、ミニサイズは持ち運びにも便利なので、ピクニックやおやつの超定番メニューとして愛され続けています。そのまま食べてもおいしいのですが、最近は電子レンジでチンして（600wで40秒ほど）溶かし、ひとりラクレットをするのにはまっています。フランスはスーパーで買える手軽なチーズもおいしいので、ぜひ味わってみて。

15 | avril

4月15日

ピエール・エルメのガトーショコラ

フランスが誇るパティスリーの王様、ピエール・エルメが紹介した、材料をどんどん混ぜていくだけの簡単なガトーショコラのレシピです。フランスの大きなパウンドケーキ型サイズなので、量は多めです。

［材料］
無塩バター：250g　砂糖：180g　卵：大3個　小麦粉：70g
ブラックチョコレート：250g

［作り方］

1. バターは常温にしておく。小麦粉はふるい、チョコレートは溶かしておく。オーブンは180度に予熱する。
2. 型にクッキングシートを敷くか、内側にバター（分量外）を薄く塗って小麦粉（分量外）を軽くまぶしておく。
3. バター、砂糖、卵、小麦粉、チョコレートを順番に混ぜる。
4. 型に流し込み、180度のオーブンで30～35分焼く。冷まして出来上がり！「mi《ミ》-cuit《キュイ》（半生）」レシピなので中央はちょっととろっとしているくらいでOK。

16 | avril

16 / 365

4月16日

面白いフランス語の言いまわし［食べ物編その1］

うんうん、わかる！ というものから、どう考えても納得できない表現まで、フランス人の想像力と言葉遊びのセンスに感心します。

◆Mettre《メットゥル》 son《ソン》 grain《グラン》 de《ドゥ》 sel《セル》（塩の粒を入れる）

関係ないことに首をつっこむ。手料理に勝手に塩をかけられたらイラッとしますよね。

◆Mettre《メットゥル》 les《レ》 pieds《ピエ》 dans《ダン》 le《ル》 plat《プラ》（料理の皿に両足を突っ込む）

ぶしつけで無礼なことをする。土足でズカズカ、というイメージに似てますね。

◆Raconter《ラコンテ》 des《デ》 salades《サラッドゥ》（サラダの話をする）

作り話や適当な話をする。いろんな野菜がミックスされているサラダが由来の表現。

◆Occupe-toi《オキュップトワ》 de《ドゥ》 tes oignons《テゾニオン》（自分の玉ねぎの世話をしなさい）

関係ないでしょ！ と一喝するキツイ一言。

◆Chanter《シャンテ》 comme《コム》 une《ユヌ》 casserole《キャスロル》（鍋のように歌う）

歌が下手なこと。Chanter《シャンテ》 faux《フォ》（誤って歌う）が一般的な表現ですが、鍋のようだと遠回しに言われても傷つきそう。

17 | avril

17 / 365

4月17日

フランス語でジャンケンポン！

じゃんけんは日本や中国などアジア発祥で、ヨーロッパに広まったのは20世紀になってからのようですが、現在ではフランスでも誰もが知る遊びです。こちらでは「1《アン》、2《ドゥ》、3《トロワ》、Pierre《ピエール》（石）、Feuille《フイユ》（紙）、Ciseaux《シゾー》（はさみ）」や「Chifoumi《シフミ》」と節を付けて言いながら手を出します。驚くことに、「シフミ」は日本語の1、2、3を意味する「ひふみ」が語源だそう。あいこの場合は同じ言葉を繰り返すだけで、「あいこでしょ」のような表現はありません。

とはいえ、何かを決めねばならないシチュエーションで、実際にフランス人の大人同士でじゃんけんを使っているところはあまり見たことがないので、やはり歴史が短く、日本ほどには浸透していない習慣なのかもしれません。

18 | avril

4月18日

最初は嫌われていた人気者

パリには、建設当初は過激すぎて批判を浴びたものの、時を経て次第に受け入れられた建物やモニュメントが意外とたくさんあります。最も有名なのはエッフェル塔。エミール・ゾラやアレクサンドル・デュマ、モーパッサンなどの文豪や芸術家たちが「工場の煙突のような真っ黒で巨大なこの塔は、ノートル・ダムやサント・シャペル、ルーヴルを侮辱するものだ」と陳情書を提出したほどです。

より新しいところではポンピドゥー・センターやルーヴルのガラスのピラミッドなども、最初はそのアイデアの斬新さについていけない人がたくさんいました。パレ・ロワイヤルの中庭に突如として現れた260本の白黒ストライプの「ビュランの円柱」も同様で、議論を呼びましたが、今ではインスタ映えするスポットとして有名です。

これらのオブジェや建物がすっかりパリの風景になくてはならないものになったことを思うと、なんだか不思議な気持ちがします。

4月19日

シャンソンよ永遠に

「愛の讃歌」「枯葉」「バラ色の人生」など誰しも一度は聞いたことのある名曲たち。ある世代以上の日本人にとっては、喜びや悲しみ、切なさといった感情とフランスへの憧れをかき立てる特別な存在である「シャンソン」は、フランス語では単に「歌」という意味に過ぎませんが、日本ではひとつのジャンルとして愛され、歌い続けられています。

本場であるはずのフランスではすっかり下火になった「シャンソン」を聴ける数少ない場所のひとつが、モンマルトルの「ラパン・アジル」。オープンは夜9時。薄暗い店内で木の椅子に座り、さくらんぼのお酒を飲んでいると、昔の大衆酒場にタイムスリップしたような気分に。知らぬ間に現れ、中央のテーブルを囲んで座る歌い手たちが歌い始めると、たとえ知らない曲でもその熱量に圧倒され引き込まれます。「シャンソン」に縁のない世代でも、きっと忘れがたい体験になるでしょう。

4月20日

パリ郊外のお花見スポット

パリの中心から郊外電車に乗って南へおよそ30分。「Sceaux《ソー》」と「Antony《アントニー》」という2つの町にまたがってソー公園という大きな公園があります。運河や噴水、滝、彫刻が散りばめられた美しい庭園は、ヴェルサイユ宮殿の庭園と同じ造園家が17世紀に設計。広々とした敷地にはさまざまな種類の木々が植えられて、四季折々の顔を見せ、週末には多くの人が訪れる憩いの場となっています。

この公園の中央にある運河の西に2カ所、桜が植えられている場所があり、パリやその郊外に住む日本人の間でお花見スポットとして知られています。南側は白い桜、北側がピンクの八重桜で、合わせて100本ほど。20世紀初め、パリの社交界に出入りしていた実業家の薩摩治郎八が寄贈したと言われています。日本より遅い4月中旬の見頃には、在仏日本人だけでなく、最近はフランス人たちも加わり、たくさんの人が桜の木の下にシートを広げてお花見を楽しんでいます。

21 | avril

21 / 365

4月21日

謎の物体、黒いチーズケーキ

チーズ屋さんやスーパーで見かける黒いチーズケーキ「Tourteau《トゥルトー》 fromagé《フロマジェ》」は、フランス西部ポワトゥー地方の伝統菓子。鈴カステラを大きくしたような形で、上半分がギョッとするほど真っ黒に焦げているのが特徴です。主役はヤギのフレッシュチーズ。そこに卵、砂糖、牛乳、小麦粉、コニャックを加えたものを、タルト生地を敷いた底がボウルのように丸いトゥルトー型に流して、黒く焼き色がつくまでオーブンで焼きます。焼き上がったら、冷蔵庫で冷やしておきます。

中がパサパサにならないよう表面だけ焦がすこと、卵白をしっかり泡立ててスフレのように上部をきれいにふくらませることがポイントです。見た目からは想像できないほどふんわりとした生地は、ヤギのチーズがほのかに香るとても素朴なお味です。

22 | avril

22 / 365

4月22日

春先の何よりのお楽しみ、ホワイトアスパラガス

フランスに住むまで、アスパラガスといえば緑の方しか食べたことがなかったのですが、こちらではホワイトアスパラガスの方が、より人気。甘みの中にほんのり苦みの混じった、まさに春らしい味の野菜です。

穂先以外の部分はすべてピーラーで皮をむき、塩を入れたお湯でゆでます。このとき、歯ごたえは求めず、やわらかくゆでるのがポイントなのですが、そうすると最もやわらかい穂先が崩れてしまうリスクがあります。これを防ぐため、アスパラガスを縦にしたままゆでられる専用の鍋まで存在します。

おいしくゆで上がったら、マヨネーズでシンプルに食べるのもよいですが、オリーブオイルとレモンと塩のドレッシングで味付けして、細かく刻んだゆで卵を散らしてミモザサラダ風にすれば、黄色と白が鮮やかな春らしいおもてなし料理になります。

23 | avril

23 / 365

4月23日

ライスサラダ

炊いたお米と好みの具材を和え、ヴィネグレットをかけて冷たいサラダとして食すライスサラダは、フランスでおなじみの家庭料理のひとつ。大量に作りやすいので、持ち寄りパーティーやバーベキューなんかにも、大きなボウルに入ったライスサラダをよく見かけます。ひょっとしたら温かいごはんよりも、サラダとしてお米を食べる機会が多い、というフランス人は少なくないかもしれません。

ツナとオリーブ、ゆで卵が入ったニース風サラダが有名ですが、ハム、チキン、アボカド、エビ、トマト、パプリカ、きゅうり、コーン、チーズ、カニカマなど、家庭によっていろんな具材の組み合わせがあるのも楽しいです。フランスではパラパラしたロングライスを使うのが一般的ですが、日本米の場合は炊き上がったものを一度水洗いして使うのがおすすめです。

24 | avril

24
/
365

4月24日

香りの世界へと誘われる、フラゴナール香水博物館

香水の聖地として知られる南仏の小さな町グラースで1926年に生まれた「フラゴナール」は、家族4世代続く老舗香水ブランド。グラースで採れる花々から抽出したエッセンスをベースにした、自然で上品な香りが長く愛され続ける理由です。

パリのオペラ座からほど近いところにあるショップには、フラゴナールのみならず、フランスの香りの歴史を紐解く香水博物館が併設されています。誰でも無料で見学でき、予約の必要はありません。20分おきにガイド付き見学（英語あり）がスタートするので、空いた時間にふらりと立ち寄ることができます。

昔の香水作りの様子や大きな蒸留器をはじめとする道具、時代ごとに表情の異なる美しい香水瓶やポスター、ネ（鼻）と呼ばれる調香師の仕事場などを鑑賞できます。見学後はお店に通されますが、買わなくてもまったく問題ありませんよ。

25 | avril

4月25日

フランス人だと思ってた…その1

恥を承知で告白しますが、フランスで活躍していたというだけでフランス人だと勘違いしていた著名人がたくさんいます。最も衝撃を受けたのがジェーン・バーキン。今でこそ英語訛りのフランス語を聞けばわかるのでしょうが、思春期の頃はそんなヒアリング力もなく、完コピ目指して彼女の歌をよく聴いてまねしたものでした。ヌーヴェルヴァーグのミューズとして、今も根強い人気を誇るアンナ・カリーナもデンマーク出身ですが、夢中で映画を観ていた当時はフランス人だと思い込んでいました。映画『悲しみよ こんにちは』でセシルを演じたジーン・セバーグのことも、ゴダールの傑作『勝手にしやがれ』をきちんと見ていればアメリカ人とわかったのでしょうが、「これぞ憧れのパリジェンヌ！」と闇雲に崇拝し、ポストカードを部屋に貼り、あのベリーショートになりたくて雑誌の切り抜きを美容師さんに見せていたツワモノだった…というのは、冷や汗がにじむ思い出です。

26 | avril

26
/
365

4月26日

フランス人だと思ってた…その2

25/365の続きでさらに白状すると、ピカソもモディリアニもダリも、ぼんやりとフランス人かなと思っていました。インターネットがなかった時代とはいえ、図書館で自分なりに調べさえすればこんな勘違いはしなかっただろうに、改めて自分の無知さ加減に顔が赤くなります。シャンソン界を代表するジャック・ブレルはベルギー、イヴ・モンタンはイタリア、歌姫ダリダはエジプト、90年代に美形俳優として人気のあったヴァンサン・ペレーズはスイス出身と、ここに書ききれないほど、本当に多くの人たちがフランスで才能を開花させ、世界的に名を馳せました。ヨーロッパの中心にあり、さまざまな人々が交錯しやすいという地理的な理由とは別に、フランス、特にパリならではの文化的にオープンな土壌と、どんな分野であれ秀でた人を国籍を飛び超えて認め、称賛する精神がそうさせているのかもしれません。

27 | avril

27 / 365

4月27日

ランチは13時、ディナーは20時。

世界には1日2食や、逆にもっと多くの回数に分けて食事をする国もありますが、フランスでは日本と同じように、朝・昼・晩の1日3食が基本です。ただ、食べ始める時間が日本よりもぐっと遅めなので、初めは戸惑います。朝ごはんは起きた時間次第として…まず昼ごはん。例えば銀行などのオフィスが集中するオペラ座界隈へ、お昼前に行ってみましょう。12時を過ぎてもまだ人はまばら。12時半を過ぎるとようやく少しずつランチに出かける会社員たちが現れ始め、周辺のレストランが最も混雑するのは13時を過ぎる頃です。

ディナーも同じく、19時くらいはまだ閉店中のレストランが多い時間。19時半にようやく店が開き始め、これまた最も混み合うのは20時〜20時半頃です。このギャップを逆に利用して、昼も夜も、レストランがオープンする一番早い時間を目指して行くと、予約なしでも座れることが多いので、ぜひ試してみてください。

4月28日

アペロ・ディナトワール

食事前に、甘いリキュールやビール、軽めのワインなどを楽しむアペリティフ（略してアペロ）は、昔から続くフランスらしい習慣ですが、ここ10年ほどで、アペロ・ディナトワールというディナーとアペリティフを合体したアペロの進化系が定着しつつあります。夕食は軽めが良い、という風潮がフランスにも訪れている証拠でしょう。

手軽さが魅力なので基本はフィンガーフード。塩味ケイクやキッシュ、タルティーヌ、カナッペ、ヴェリーヌと呼ばれる小さなガラスの器に盛られたサーモンのタルタルやサラダなど、個性的なレシピを紹介する本やブログも多く、器や盛り付けにこだわるインスタ映えを狙った華やかでおしゃれなアペロ・ディナトワールを楽しむ人が増えています。お呼ばれの時、特に指定がなければ、指でつまめるプチフールやプチシューを持っていくと喜ばれます。おいしいデザートとコーヒーで、さらに完璧なアペロ・ディナトワールになります。

29 | avril

4月29日

よりどりみどりのヨーグルト

フランスのスーパーでとても充実している売場のひとつがヨーグルト。乳製品が豊富な酪農大国なので当たり前なのですが、とにかくその種類の多さに圧倒されます。フランスの歴史にヨーグルトが登場したのは16世紀のこと。国王フランソワ1世の腸の不調を治すために招かれたオスマン帝国（今のトルコ）の医者が、発酵させた牛乳による治療を施したといいます。その整腸作用が広く一般に知れ渡り、普及するようになったのは20世紀の初めでした。一般的なヨーグルト以外にも、口当たりがなめらかな「Yaourt《ヤウルト》 brassé《ブラセ》（撹拌したヨーグルト）」、濃厚な舌触りの「Yaourt《ヤウルト》 grec《グレック》（ギリシャ風ヨーグルト）」などがあり、羊乳やヤギ乳のヨーグルトもあります。いちごやアプリコットなどフルーツ入りや飲むヨーグルトも含めると、売場スペースが大きいのも納得です。コロンとした形の小さいガラス瓶入りが定番で、これを洗って手作りデザートの容器にする人も多いです。

30 | avril

30 / 365

4月30日

幸せを呼ぶ…

フランスで幸せを運ぶ縁起物のことを「Porte《ポルト》-bonheur《ボヌール》」と言い、四つ葉のクローバーやてんとう虫、馬蹄、ウサギの足あたりが有名です。左足で犬のフンを踏むと良いことがある、とも言われています。ぐにゃりと踏んづけてしまってしょげていたら、「左足だからラッキーだよ」と慰められた経験がありますが、これ以上にフランスらしい幸運の印はないかもしれません。

「一度も遅刻したことない」とか「ここ数年ひどい風邪はひいていない」などと、今までうまくいっていたことを口にした途端に、問題が起きるのではと不安に駆られて、「Je《ジュ》 touche《トゥッシュ》 du《デュ》 bois《ボワ》（木を触る）」とつぶやいたり、身近にある木のテーブルや品物に触ったりする人も多いです。これは、キリストが木材の十字架に磔にされていたところから、不幸から身を守るおまじないとして広まった習わしだそうです。

1 | mai

31 / 365

5月1日

幸せをもたらすスズラン

5月1日はメーデーで国民の祝日。フランスではこの日、大切な人にスズランを贈り、幸せを願う習わしがあります。春先に美しく咲くスズランは、ローマ時代から春の訪れの象徴で、この花が幸運をもたらすとフランスで最初に贈り物にしたのはルネサンス時代のシャルル９世と言われています。時は流れ、ベル・エポックの時代。服飾デザイナーたちが5月１日にスズランを顧客や社員にプレゼントするようになり、その習慣が次第に広まりました。これが第二次世界大戦の頃労働者の祭典と結び付き、全国でこの日にスズランを贈り合うようになったのです。森や自分の庭で摘んできたスズランなら、この日だけは許可なしで誰でも販売することが認められているため、フランス中の街角に即席のスズラン売りたちが現れます。２〜３ユーロで買える小さなブーケでも、その可憐さと良い香りで幸せな気持ちになれます。ちなみにその愛らしさとは裏腹に毒性が強いので取扱い注意ですよ。

2 | mai

32/365

5月2日

共和国の広場

絶対王政の時代が1789年のフランス革命で終わりを告げ、フランスは現在「République《レピュブリック》（共和国）」です。「Place de la République《プラス ドゥ ラ レピュブリック》（共和国広場）」の中央には、フランス共和国の象徴であるマリアンヌ→ 192/365という女性の像がそびえています。東西南北に大通りが交差するパリ東部の交通の要所で、通るメトロの路線は5つ。カフェやレストランが軒を連ねて一日中にぎわうこの場所は、その名の通りフランス共和国、そして自由や革命を象徴する広場です。そのためなのか、5月1日のメーデーをはじめ、デモや集会の集合場所としてもよく使われます。2015年1月のシャルリー・エブド襲撃事件、そして同年11月のパリ同時多発テロ事件以降、犠牲者を悼む市民が、花やキャンドル、メッセージなどを残していく追悼の場にもなりました。何か大きな出来事があって、怒りや悲しみ、喜びを分かち合いたいとき、パリ市民たちは自然とこの「共和国の広場」に集まってくるのです。

3 | mai

33 / 365

5月3日

フランス人はバカンスのために働いている？

１年に何度もある学校休暇 → 99/365 の前や、とりわけ夏休みが近づく頃､「バカンスはどこに行く？」という会話をよく耳にします。「フランス人はバカンスのために働いている」と聞くと、なんだか怠け者のようですが、「働くことだけが人生ではない」と考え、ワークライフバランスを大事にする人が多いので、働くのと同じくらい、休むことも重要。フルタイムの会社員は年間５週間の有給休暇を取得でき、病欠を有給休暇扱いにすることは禁止されているので、この５週間は純粋なお休みです。しかも雇用主には社員に有給休暇を消化させる義務があるため､上司から早く休みを取るよう言われることもよくあり、「みんなが休暇を取るから自分も休暇を取りやすい」という好循環に繋がっています。一方、ある調査では６割以上の人がバカンス中にも仕事を持ち込むと答えています。多少仕事することになったとしてもとにかく休暇は取る、という執念を感じますね。

34 / 365

5月4日

春の訪れを告げるヴィド・グルニエ

白く可憐なスズランの花と並んで、春の訪れを感じさせてくれるフランスの風物詩のひとつに、ヴィド・グルニエ（Vide-grenier）があります。誰もが参加できるフリーマーケットで、毎日のように太陽が顔を出すこの季節には、週末になると街のそこかしこで開催されています。

屋根裏（Grenier《グルニエ》）を空っぽにする（Vider《ヴィデ》）という意味のヴィド・グルニエは、立派なアンティークやヴィンテージの品々をプロの骨董商が売る蚤の市とは別物で、着古した洋服や使わなくなった食器、子どものおもちゃや絵本など、ありとあらゆる物が雑然と並び、ガラクタ市の様相を呈している場合も多々あります。とはいえ、そんな中にも素晴らしいお宝が眠っているかもしれない…とワクワクしながらお散歩がてらに立ち寄って、眺め歩くのがヴィド・グルニエの醍醐味でしょう。

5 | mai

35 / 365

5月5日

挨拶するたびにドキドキ!?

「これが自然にできるとフランスの社会にうまく溶け込めるようになった気がする」と感じるポイントのひとつが「ビズ」。頬と頬をくっつけ、同時に口で「チュッ」と音を立てる挨拶で、慣れない日本人にとってはドキドキの体験です。家族や友人の間ではもちろんのこと、職場でも親しい間柄ならビズで挨拶します。初対面でも、同世代だったり、友達の友達だったりするとビズすることが多いです。ビジネスの会議など堅い雰囲気の場では握手のみが多いですが、長年付き合いがある関係ならビズすることも大いにあり得ます。伝統的に、男性と女性、そして女性と女性の間ではビズをして、男性と男性の間は握手が多いのですが、これまた親しさ次第では男性同士でビズすることもあります。ひそかに恋心を抱いている相手とも、知らんぷりして頬をくっつけ合うなんて！ と考えるのは私が日本人だからで、誰もそんなことを気にしないほど、完全に社会の習慣になっているのです。

6 | mai

36
/
365

5月6日

フランスで見かけないシュークリーム

「Choux à la crème《シューアラクレーム》」が語源であることからもわかるように、シュークリームは正真正銘、フランス生まれのお菓子なのですが、本場フランスで売っているお店がほとんどないことに驚きます。シュー生地を使ったエクレアやルリジューズといったケーキはあっても、大きなシューの中にカスタードや生クリームが入った、日本人になじみのある、あのシュークリームが見つからないのだから不思議です。

その代わり、パン屋さんでよく見かけるのが、あられ糖をかけてカリッと焼いた「Chouquettes《シュケット》」と呼ばれるミニシューの焼き菓子。クリームを詰めず中は空洞のままですが、シンプルなだけに小麦粉とバターと砂糖の素材そのままの風味を存分に楽しめ、ついつい食べすぎてしまうおいしさです。

7 | mai

37 / 365

5月7日

ピカールで冷凍食品を楽しむ

数年前に東京にも上陸したフランスの冷凍食品専門店「ピカール(Picard)」は、毎年フランス人が好む食品ブランド１位に輝くほど、本国でも愛されています。冷凍食品はあくまでも補助的な存在だと思っていたのですが、ピカールに行って、そのバラエティの豊かさに驚きました。フランスでは冷凍食品をたくさん買うために、専用の冷凍庫を別途置いている家もあるほどです。朝食のクロワッサンから、アペロでつまめるカナッペ、前菜、メイン、パン、デザートまで、一日の食事をすべてまかなえます。解凍したり温めたり焼いたりするだけで食べられるのは本当に便利で、添加物や保存料の使用が控えめなのも安心。もちろん自分で料理したい人には肉や魚、野菜などの素材も充実しています。新鮮なうちに冷凍しているので品質が安定しているのです。普段の食卓にプラスしたり、おもてなし料理を華やかにしたり、後ろめたい気持ちなしで、どんどん活用したい冷凍食品です。

8 | mai

38 / 365

5月8日

祝日に橋を架ける5月

フランスの祝日は、日本よりも少ない年間11日。その中で、驚くほど祝日が続くのが5月です。5月1日のメーデー → 31/365 に続き、5月8日は「Victoire《ヴィクトワール》 1945（第二次世界大戦終戦記念日）」の祝日。フランスを占領していたドイツが降伏してヨーロッパでの戦争が終結した大事な日で、毎年国内各地で記念式典が行われます。月の後半には移動祝祭日で毎年日付が変わる「Ascension《アサンスィオン》（キリスト昇天祭）」、さらに同じく移動祝祭日の「Pentecôte《パントコット》（聖霊降臨祭）」と「Lundi de Pentecôte《ランディ ドゥ パントコット》（聖霊降臨祭翌月曜の祝日）」が来る年もあり、あっという間に1カ月が過ぎてしまう気がします。このため、祝日に「Faire le pont《フェール ル ポン》（橋を架ける）」人も多いです。これは、祝日と週末の間を有給休暇でつないで連休にしてしまうことを意味する面白い表現。ちなみに、フランスでは振替休日の制度がないので、祝日が日曜に重なるととても損した気持ちになります。

9 | mai

5月9日

面白いフランス語の言いまわし［動物編その1］

動物の名前が入った面白い言いまわしもたくさんあります。

◆Verser《ヴェルセ》 des《デ》 larmes《ラルム》 de《ドゥ》 crocodile《クロコディル》（ワニの涙を流す）

嘘泣き。ワニが嘘泣きで人間をおびき寄せていたという伝説から。

◆Avoir《アヴォワール》 le《ル》 cafard《カファール》（ゴキブリを持つ）

憂鬱な気持ちであること。ゴキブリが好まれないのは日仏共通のよう。

◆Poser《ポゼ》 un《アン》 lapin《ラパン》（うさぎを置く）

約束をすっぽかす。不思議な表現ですが、日常的に耳にします。

◆Avoir《アヴォワール》 des《デ》 papillons《パピヨン》 dans《ダン》 le《ル》 ventre《ヴァントル》（お腹の中にちょうちょがいる）

恋の予感がする。フランスのエスプリを感じさせる表現！

◆Chercher《シェルシェ》 la《ラ》 petite《プティット》 bête《ベット》（小さな虫を探す）

人を怒らせるような細かなことをわざと探す、重箱の隅をつつく。

◆Être《エートル》 le《ル》 bon《ボン》 pigeon《ピジョン》（良い鳩）

だまされやすい人のこと。フランスでは鴨ではなく鳩。

10 | mai

40 / 365

5月10日

ビズは何回する？

フランスに暮らすと避けられないのが、頬と頬をくっつける「ビズ」という挨拶です→ 35/365。フランス人を目の前にして、どう挨拶したらいいか迷ったら、とりあえず相手に任せ、手を出してきたら握手で、顔が近づいてきたらビズ、という感じで対応してみましょう。逆に、「ビズする距離感ではないな」と思ったら、自ら手を差し伸べて握手してしまうのも手です。たまに相手と違う頬を向けてしまい衝突しそうになることがありますが、フランス西部では右頬を先に、東部では左頬を先に差し出すことが多いそうです。回数は右・左の計２回が最もポピュラーですが、南仏では３回、そしてブルゴーニュ地方の一部では右・左・右・左と４回もするとか！ パーティーやカフェでの集まりに顔を出したときも、まず最初に全員とビズで挨拶し、帰るときも同様なので、かなりの時間がビズに費やされますが、それだけフランス人にとっては大事なしきたりなのでしょう。

11 | mai

41 / 365

5月11日

焼き立てバゲットは最高！

夕方になると夕食用のバゲットを買い求める人々でパン屋さんには長い行列が出来ます。お店では朝、お昼前、夕方以降のピークに合わせてパンを焼くので、その頃なら必ず焼き立てのバゲットを買えます。真ん中あたりを小さな紙で巻いたり、細長い紙袋に入れたり、包み方はいろいろですが、バゲットの一部は必ず顔を出しているので、その香ばしい匂いに我慢できず、つい歩きながらちぎって食べてしまいます。あっという間に３分の１くらいなくなってしまうので要注意です。フランス人にとってのバゲットは、日本人にとってのお米のようなもの。ごはんの炊き立てと同じく、バゲットも焼き立てが一番おいしく、数時間経てばもう古いくらいです。日本では「固くて噛み切れない」というイメージがあるバゲットですが、本来は「サクッと噛み切れるくらい新鮮なうちに食べるべきもの」なのです。こうしてフランス人たちは、毎日焼き立てのバゲットを求めて行列に並び続けます。

12 | mai

42
/
365

5月12日

これってフランス語だったの!? その1

なじみすぎて気づかないけれど、日本語に隠れているフランス語由来の言葉は案外たくさんあります。グランプリ（Grand prix）、デラックス（De luxe）、ジャンル（Genre）、デジャヴ（Déjà vu）、デッサン（Dessin）、アンティーク（Antique）、アンケート（Enquête）、モンタージュ（Montage）、エチケット（Étiquette）、ピエロ（Pierrot）あたりは、特にフランス語だと意識せずに日常生活でよく使いますよね。

キュロット（Culotte）はフランス語で女の子用ショーツのこと。ナイーヴ（Naïve）はお馬鹿さん、クレヨン（Crayon）は鉛筆、マント（Manteau）はコート、ピーマン（Piment）は唐辛子、ソバージュ（Sauvage）は野性的または人見知りと、日本で使われている意味とは微妙に異なる単語もあるので、フランス語を話すときは気をつけましょう。

13 | mai

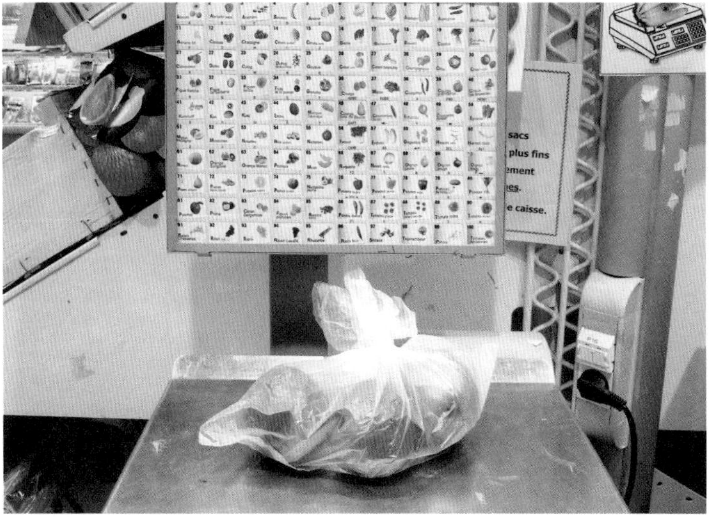

43 / 365

5月13日

スーパーの野菜は量り売りが基本

さすがは農業大国フランス、ちょっとしたスーパーでも野菜や果物が豊富にそろっていて、売り場の棚には新鮮なジャガイモやニンジンなどが直接手に取れる状態で、ゴロゴロと積み上げられています。フランスでは、野菜と果物は量り売りが一般的で、自分の好きな量や個数を選べるのが便利。たいてい1kg当たりの価格が表示されていて、備え付けの紙袋に吟味した商品を種類ごとに分けて入れます。

店によっては、客自ら計量する必要があり、秤の上に紙袋ごと載せてパネルにある野菜や果物の絵を押すと価格が記されたシールが印刷されるので、それを袋に貼ってレジに行けばOK。最近はレジ係が量ってくれるところも増えましたが、その場合、ギリギリまで値段がわからないという不便さはあります。袋詰めされていると量が多すぎて買えない場合もありますが、量り売りなら、たとえさくらんぼ5粒でも買えるので、特に一人旅にはうれしいサービスです。

14 | mai

5月14日

フランスの役者は緑色が怖い？

通訳として舞台の現場に立ち合う機会が幾度かあり、その時、あるフランス人スタッフからこんな話を聞きました。フランスではステージ上で緑色の服を着るのはご法度。演者はもちろん、その舞台に関わるスタッフたちも緑色の服は避けているというのです。不思議に思い調べてみたら、単なる都市伝説ではないことがわかりました。中世に酸化銅を使って衣装を緑色に染色していたところ、汗と化学反応を起こし中毒になって死んだ役者たちがいたからとか、劇作家で俳優でもあったモリエールが死ぬ直前に立った舞台で緑色の衣装を着ていたからというのが、緑色が忌み嫌われるゆえんのよう。

この言い伝えは今も根強く残っていて、演劇だけでなく映画やコンサート関連で働く人たち全般が舞台の現場では緑色を着ないとのこと。もし私が知らずに緑色の服を着て現場に行っていたら、どれだけ空気が凍ったことか。教えてくれたスタッフさん、本当にありがとう！

15 | mai

45 / 365

5月15日

おひとりさまごはんだってフルコース

フランスのレストランで食事をするのは何となくハードルが高く感じるかもしれませんが、言葉の壁を除けば、日本と大きく違うわけではなく、一般的なマナーを守っていればOKです。例えば高級店のドレスコードはフランスの方がゆるいくらいで、たとえ星付きレストランであっても、日本人の感覚で小綺麗な服装をしていれば十分です。

一人旅でもレストランでおいしいランチやディナーを食べたいけれど、おひとりさまは変な目で見られるのでは…と躊躇する人がいるかもしれませんが、こちらもまったく問題ありません。そこが良い店であればあるほど、１人で食事をしているあなたが楽しい時間を過ごせるように、スタッフがさまざまな気配りをしてくれることでしょう。

5月16日

夜の美術館をはしごする

夜中になると展示物が動き出す不思議な美術館の映画『ナイトミュージアム』シリーズや、夜のルーヴル美術館が舞台となった映画『ダ・ヴィンチ・コード』でも描かれているように、夜の美術館には私たちの想像力をかき立てる魅力があります。パリには週1～2回、夜間開館する美術館がいくつかありますが、より多くの美術館を、より遅い時間まで、しかも無料で見学できる素敵なイベント、それが、毎年5月半ばの土曜日に開催される「ヨーロッパ美術館の夜」。フランスではルーヴル、オルセー、オランジュリーの三大美術館をはじめ、主要な美術館・博物館の多くが、ヨーロッパ中でも合わせて3000を超える施設が参加する一大イベントです。通常の閉館時間にあたる18時頃から始まり、終了は午前0時頃。常設展・企画展の他に、解説付き見学やアトリエなど各美術館がそれぞれに趣向を凝らします。普段ならなかなか体験できない、夜の美術館の雰囲気を楽しめます。

17 | mai

47 / 365

5月17日

マルシェがいちごであふれる幸せな季節

　マルシェを歩くとどこからともなく、ほんのりといちごの甘い香りが漂う季節になりました。４月の終わり頃から少しずつマルシェで顔を見せ始め、５月の中頃にはいちごだけを売る屋台がぐんと増え、目にも鮮やかな真っ赤ないちごたちがテーブルいっぱいに並びます。

　一般的な「Gariguette《ガリゲット》」や「Mara des bois《マラ デ ボワ》」のほかに、その２つをかけ合わせた「Mariguette《マリゲット》」「Cireine《シレーヌ》」「Belrubi《ベルリュビ》」「Favette《ファヴェット》」「Charlotte《シャルロット》」「Mount Everest《マウント エヴェレスト》」「Gourmandine《グルマンディーヌ》」…と数えきれないほどたくさんの品種があります。味も香りも形もサイズもさまざま。マルシェで違う種類をいくつか買って、１粒ずつデギュスタシオンしてみるのもこの季節の楽しみです。

18 | mai

48 / 365

5月18日

5年おきに国民が選ぶ大統領

フランスには大統領と首相の両方が存在し、大統領は主に外交、首相は内政を担うという役割分担がされています。とはいえ、内政に関しても全体のプランを立てるのは大統領であり、大きな権限を持っています。首相は日本の衆議院にあたる国民議会の多数党から選出されますが、大統領は18歳以上の国民による直接選挙によって選ばれます。大統領選挙は大統領の任期である5年おきに行われ、ミッテラン大統領が就任した1981年以来、4月末に第1回投票が、5月初めに得票数の上位2名による決選投票が行われています。大統領選挙が近づくと、テレビやラジオはもちろん、職場やプライベートでの会話、さらには乗り合わせたタクシーでさえも、選挙の話題でもちきりになります。国家元首である大統領を自分たち国民が直接投票で選べるということが、政治に関心が高いフランス人が多い大きな理由かもしれません。大統領選挙の投票率は毎回80%近くに上ります。

19 | mai

49 / 365

5月19日

暮らしに欠かせないパニエ

「パニエ（Panier）」と呼ばれる昔ながらの編みかごは、大きさも形も、用途に合わせて千差万別で、買い物バッグ以外でもフランスの日常生活に深く根付いています。今も暖炉を使う家庭が多く、U字型やつば広帽をひっくり返したような形に取手が付いた薪用パニエは必需品。切ったバゲットを入れる食卓用のパンかごや、汚れた洗濯物を入れる大ぶりのかごは、内側に麻布が張られ、パンくずやホコリが編み目から落ちない工夫がされています。

他にも、チーズ屋さんやパン屋さんで見かける編み細工の平らなトレー、ピクニックには皿やカトラリーが仕舞えるふた付きのしっかりとしたパニエ、ビーチにはタオルがすっぽり入る大きなサイズのパニエ（しかも軽く叩くだけで砂が落ちやすい）など、驚くほどのバリエーションがあり、パニエ文化の奥深さを感じずにはいられません。

20 | mai

50 / 365

5月20日

頭を悩ますパンの保存方法

オーブンから出したばかりの焼き立てパンはどんなパンでもおいしいですが、残念なことにそのおいしさは長く続きません。その日に食べきるのがベストですが、残ってしまったパンは、細長い布製のバゲット袋やふたの付いたパンケース、キッチン備え付けのパン専用の引き出しを利用して収納するのが一般的。食パンやブリオッシュのようなやわらかいパンはまだしも、バゲットや田舎パンはパリパリ感を失いフニャッとなるか、乾燥して硬くなるかのどちらかです。残ったらすぐに冷凍する人も多いようですが、解凍するのが面倒です。

今はパンケースを使っている私ですが、炊飯ジャーのように焼き立てパンのおいしさをキープできる電化製品が登場しないものかと夢見ています。とはいえ、毎日パン屋さんに立ち寄って新鮮なバゲットを買う手間を惜しまない人が多いのはよくわかります。だって、焼き立てパンの香ばしさは何物にも代えがたい幸せなのだから。

21 | mai

51 / 365

5月21日

自転車でパリを走り回ろう

2007年にパリで誕生したレンタル自転車「ヴェリブ（Vélib'）」は、瞬く間にパリジャンたちの心をつかみ、地方都市にも同じコンセプトのサービスが次々登場しました。移動手段の選択肢に自転車が加わったことで、ストの影響でメトロが運休になったり、慢性的な渋滞に悩まされたりと、都市部に暮らす人々が日頃から抱えるストレスが軽くなったのは確か。マイ自転車のように盗まれる心配がないところも支持される理由のひとつでしょう。1日パスの基本料金は5ユーロ、7日で15ユーロ。30分以内に返却すれば追加料金がかからず、上手に乗り継げばかなり安上がり。初期登録や返却方法も簡単で、旅行者でも気軽に利用できます。ステーションの状況をリアルタイムで把握できるアプリもおすすめ。壊れていないかチェックする、盗難防止のためカゴにバッグを置かない、日本と逆の右側走行！ これらの点に注意しながら、パリの街を縦横無尽に走り回りましょう。

22 | mai

52
/
365

5月22日

無料で巡る！ パリの美術館

パリには無料で鑑賞できる美術館がたくさんあります。基本的にパリ市が運営する美術館は常設展が無料で、それ以外にも入館無料の知る人ぞ知るスポットが隠れています。どんな人でもお金を払うことなく芸術作品を楽しむことができるのですから、「芸術の都パリ」の懐の深さに感心します。有名美術館巡りの合間に、気軽に立ち寄ってみるのもいいでしょう。

◆ 年中常設展が無料

パリ市立近代美術館／プチ・パレ／ヴィクトル・ユーゴー記念館／バルザック記念館
コニャック・ジェイ美術館／ロマン派美術館／ブールデル美術館
カルナヴァレ美術館

◆ 年中入館無料

ザッキン美術館／レジオン・ドヌール博物館／フラゴナール香水博物館 → 24/365
アトリエ・ブランクーシ（ポンピドゥー・センター広場）／ショア記念館

23 | mai

53 / 365

5月23日

お気に入りのいちごの食べ方

いちごを買うと決まってするお気に入りの食べ方があります。洗ってヘタを取ったいちごを半分または４分の１に切りボウルに入れ、すこーし砂糖をまぶし優しく和え、冷蔵庫で冷やしておきます。いちごを器に盛り、その上に大きなスプーンですくったクレーム・フレッシュをポンとのせて完成。少しずつ混ぜながら食べると、甘酸っぱさと濃厚なクリームが見事に絡み合い、シンプルだけど贅沢なデザートを味わったような気持ちになります。いちごの赤とクリームの白が、だんだんときれいなピンク色に変わっていくのを眺めるのも大好き。

クレーム・フレッシュはサワークリームの一種で、どんなスーパーでも安価で手に入ります。そのままでも火を通しても使えるので、タルトタタンに添えたり、温かいスープの上に浮かべたり、肉や魚料理のソースにしたり、ゆでたアスパラガスにはヴィネグレットと混ぜてドレッシングにしたりと、フランスの家庭料理には欠かせない存在です。

24 | mai

54 / 365

5月24日

ロマンティックな美術館

すぐ近くの歓楽街ピガールの喧騒が嘘のように静かな小道に、気づかずに通り過ぎてしまいそうな小さな門があります。中に入って細い道を進むと、石畳の中庭の奥に、木々の緑と咲き乱れる花に囲まれた美しい館「ロマン派美術館」が見えてきます。王政復古様式を今に伝えるこの建物には1830年からオランダ人画家アリ・シェフェールが暮らし、ドラクロワやロッシーニ、ジョルジュ・サンドとその恋人ショパンなど、ロマン主義の芸術家たちが集まるサロンを形成していました。美術館内にはこの時代の絵画、デッサン、彫刻、家具、陶器などが並べられ、優美な雰囲気を再現しています。ほぼ完全な形で残されているシェフェールのアトリエも貴重です。しかもパリ市立の美術館なので常設展は見学無料。ガラス張りの温室と庭の木陰を利用したサロン・ド・テはまさに都会のオアシスで、パリの中心にいるとは思えないようなゆったりとした時間が流れています。

25 | mai

55 / 365

5月25日

高い所から見下ろすパリ その1

どこを切り取っても絵葉書のように美しいパリですが、高い所から見下ろしてみるのも、いつもと違った趣が楽しめておすすめ。無料でパリを一望できる、私たちお気に入りのスポットを紹介します。

◆ プランタンとギャラリー・ラファイエット
二大百貨店の屋上テラスからは、豪奢なオペラ座の屋根や大通り沿いの美しいオスマン様式の建物を間近に見られます。もちろん、エッフェル塔の眺めもバッチリ。

◆ モンマルトルの丘
パリで一番高い所にある丘から眺めるパリの景色は絶品。

◆ アラブ世界研究所
セーヌ河を中心に左岸らしい街並みが楽しめます。屋上へのアクセスは無料。

◆ ビュット・ショーモン公園 → 65/365
小高い丘に位置し、モンマルトルの丘に建つサクレクール寺院の眺めも抜群。

5月26日

階段、階段、階段！

階段が多いモンマルトルの丘をはじめ、階段の上り下りはパリで暮らしていると避けられません。メトロの入口と地下ホームの間には必ず階段があり、最初の階段の横にエスカレーターがあったとしても、その次の階段にもエスカレーターがあるとは限りません。エレベーターはますます珍しく、地上から直接エレベーターでホームまで行ける駅は数えるほどしかありません。ベビーカーやスーツケースを持ってメトロで移動するのは無理！　とくじけそうになりますが、階段を前に困っている人を手助けしてくれる人が意外に多いのが救いです。古い建物に無理矢理設置した、定員２人くらいの小さなエレベーターもよく見かけます。エレベーターのない建物の物件は家賃が割安なことが多いのであえて選ぶ人もいます。毎日階段を何往復するか考えただけでも気が遠くなりますが、カーペットを敷き詰めた美しい螺旋階段に出会うと、そんな不便さも一瞬忘れてしまいます。

27 | mai

57 / 365

5月27日

ほっとする味わいのパン屋さんのケーキ

有名パティシエたちが作り出す独創的なケーキにどうしても目が行きがちですが、専門店だけでなく庶民的なパン屋さんでも必ず見つかる昔ながらのケーキも、フランス人にとっては欠かせない存在です。

大小のシューを重ねた「ルリジューズ」、ミニシューを積み上げた「サントノレ → 360/365」、自転車の車輪を模した「パリ・ブレスト」、チョコレートの甘さとコーヒーの苦味が効いた「オペラ」、そして日本でもおなじみのミルフイユやエクレアなどが定番中の定番。洗練されすぎず、ストレートにおいしさが伝わる素朴さが、フランス人に愛され続ける理由かもしれません。

時には不格好だったり、甘すぎたりするかもしれないけれど、どうしてもまた食べたくなる味。「デザート」というよりは「おやつ」と呼びたくなるような、心をほっこりさせてくれるその味わいに、大人も子どももとりこです。

28 | mai

5月28日

ラマダンの季節

イスラム教徒が日の出から日没にかけて飲食を断つ1カ月のことを「ラマダン」と呼びます。2021年は4月13日から5月12日までですが、その時期は毎年少しずつずれていきます。フランスには約570万人のイスラム教徒がいると言われており、例えば職場で「ラマダンだから日暮れまでは何も食べない」という同僚がいることも珍しくはありません。かつてフランスの植民地だった国の中でも、イスラム教徒の多いアルジェリアやチュニジアなど北アフリカからは数多くの人が職を求めてフランスに移住し、その後、第2、第3世代がフランスで生まれています。ラマダンを実行したりモスクに通ったりする信心深い人もいれば、イスラム教の家庭に育ってもラマダンなんて気にしないという人もいて、多種多様。2000年代に入り、世界でイスラム原理主義者のテロが増えたことで、テロリズムとイスラム教を同一視する偏見も生まれ、難しい社会問題のひとつとなっています。

29 | mai

5月29日

セーヌ川クルーズで眺めるパリ

バスティーユ近くのシュリー橋からエッフェル塔の正面にあるイエナ橋までのセーヌ河岸はユネスコ世界遺産に登録されています。その美しい風景を満喫するなら遊覧船に乗るのがベストです。「バトー・ムッシュ」「バトー・パリジャン」「ヴデット・デュ・ポン・ヌフ」の３社が運行しており、どれも世界遺産のゾーンをぐるりと回る１時間ほどの遊覧のほか、ランチやディナーのクルーズもあります。船を移動手段としても使うなら「バトビュス」と呼ばれる水上バスも便利。１日券を買えば9つの停留所を使って乗り降り自由です。エッフェル塔、オルセー美術館、ノートル・ダム大聖堂、サン・ルイ島、パリ市庁舎、ルーヴル美術館、コンコルド広場などの有名スポットも、船から眺めるとまた違った印象。明るいうちに建物をじっくり眺めるもよし、ナイトクルーズでライトアップされたパリを眺めるもよし、とにかくセーヌ川クルーズはパリで一度は体験したいことのひとつです。

30 | mai

5月30日

フランスのレシピで見つけたかわいい言葉

　レシピを読んでいて、かわいいなと思う料理にまつわるフランス語の言いまわし。

◆**Monter《モンテ》 des《デ》 blancs《ブラン》 en《オン》 neige《ネージュ》（卵白を雪のように泡立てる）**

「Meringue《ムラング》（メレンゲ）」は焼きメレンゲのお菓子を指します。

◆**Nuage《ニュアージュ》 de《ドゥ》 lait《レ》（ミルクの雲）**

コーヒーや紅茶に牛乳を注ぐと雲のようにふわっと広がりますね。

◆**Œeuf《ウフ》 miroir《ミロワール》（卵の鏡）**

卵黄が鏡のようにツルツルした片面焼きの目玉焼きのこと。

◆**Une《ユヌ》 larme《ラルム》 de《ドゥ》 vanille《ヴァニーユ》（バニラの涙1滴）**

液状のフレーバーやエッセンスに使う詩的な表現。

◆**Un《アン》 soupçon《スプソン》 de《ドゥ》 cannelle《カネル》（シナモンの疑い）**

ほんのり香る程度の分量。ちょっとどきりとする表現です。

◆**Un《アン》 filet《フィレ》 de《ドゥ》 miel《ミエル》（蜂蜜の網）**

細い糸で網を描くように蜂蜜をかけること。

31 | mai

61 / 365

5月31日

フランスで髪を切る

渡仏して数カ月経ち、近所の美容室に足を運んだときのこと。担当してくれた愛想の良いマダムは、「量が多くてうらやましい」と私の髪を褒めながら、ボブの長さに切りそろえてくれたのですが、その仕上がりはまるでヘルメット。毛の細いフランス人にとって、ボリュームは命。髪をすいてふくらまないようにするなんて考えられないのでしょう。それから数年後。ある日どうしても日本人美容師の予約が取れず、フランス人経営の美容室に再チャレンジ。言葉も上達し、要望をうまく伝えられる自信があったにもかかわらず撃沈。フランス人の毛質を生かすカットを学んだ美容師にとって、太さや量、頭の形も異なる日本人のカットはまったく別の技術を要するのだと思い知りました。日本でも毎回満足していたわけではないので、もはや国籍の問題ではないのかもしれませんが。今は私の髪質を熟知するフランス人美容師さんに切ってもらっていて、とても満足しています。

6月1日

フランス人の辞書に「衣替え」はない

日本では学生や企業の制服を6月1日頃に夏服に、10月1日頃に冬服に替える衣替えの習慣がありますね。制服がない場合は厳密にこのタイミングではしないとしても、とにかく衣替えの意識は多くの人にあるような気がします。一方、フランスにはこのような言葉も習慣もありません。公立でも私立でも、制服のある学校がほとんどなく、企業も同様なので、夏服と冬服の区別自体が存在しない上、真夏でも妙に肌寒い日があったり、秋口にぐっと暑くなったりと、天気が変わりやすいのもその理由です。例えば10月の末に小春日和の日があったら、半袖姿の人も見かけます。日本なら半袖は衣装ケースに眠っている季節ですが、衣替えをしないので、いつでも必要な服が出せるというメリットも。季節に関係なく、あまり人の目を気にせず、自分が着たいものを着るという人が多いのも確かで、真夏でも革ジャンを着ている人を見かけることが結構あって、永遠の謎です。

2 | juin

63 / 365

6月2日

フランスの結婚

爽やかな気候と「6月の結婚は幸せになれる」という言い伝えもあり、6月は結婚シーズン。身分・住居・出生証明書などをそろえて市役所に申し込むと結婚の公示がされ、誰の異議もなく10日間の公示期間が明けたら、事前に予約した日に市役所で証人立ち会いのもと結婚式を行う、という煩雑な手続きが待っています。その後、希望者は教会で式を挙げることになりますが、そのための準備もあります。離婚も同じく、夫婦間で合意していても届出1枚では別れられず、弁護士を立てる必要があり、数カ月はかかります。定期的に教会に通うような信心深い人はあまり多くないこの国でも、「結婚」と「宗教」を結び付ける人は少なくありません。結婚は、カトリックが象徴する伝統的な価値観を背景にして家庭を築くことを連想させます。そこに自分の価値観、実生活とのズレを感じる人が増え、カップルや家族の基盤は「結婚制度」ではないと考える人が多くなってきたようです。

3 | juin

6月3日

PACSって何？

　フランスにはさまざまなカップルの形があり、それを代表するのが1999年に制定された「同性または異性の成人2名が共同生活を結ぶために締結する契約」、いわゆる「PACS《パックス》（民事連帯契約）」です。結婚よりも法的に緩やかなパートナーシップの契約関係で、結婚より制約が少ない一方、単なる事実婚とは違い相続権などの法的権利が与えられるのがメリット。離婚には時間と労力とお金がかかりますが、PACSは一方的に契約を破棄することも可能です。先のわからない人生で、面倒なことが起こりうる結婚ではなく、PACSで十分、と考えるカップルも多いようです。制定当時は同性カップルのためのものというイメージもありましたが、実際には現在PACSの95%が異性間です。なお、同性間の結婚は2013年に合法化されました。2018年フランスの婚姻件数はおよそ23万件で、PACSは20万件。結婚がだんだん減る一方、PACSは増え続けています。

6月4日

パリ市民を癒やす公園

山手線の内側に入るほど小さな面積に200万人以上が暮らすパリで、パリジャンたちの日常を癒やしているのが、400以上もある公園です。おすすめの3つをご紹介します。

◆リュクサンブール公園
左岸の真ん中にある大きな公園で、緑が多い園内には106もの彫像が。散策やジョギングを楽しむ人や遊具で遊ぶ子どもたちなど、左岸に住むパリジャンたちの憩いの場。

◆チュイルリー公園
コンコルド広場とルーヴル美術館をつなぐ公園。芝生や木々、池が幾何学模様を織りなすフランス式庭園です。ルーヴルのピラミッドからオベリスク、凱旋門、エッフェル塔も眺められる絶好の立地。

◆ビュット・ショーモン公園
地下採石場の跡を使って19世紀に造られた公園。岩や小川、滝、洞窟など自然の風景を模していて、さまざまな景色に出会えます。旅行者にはなじみの薄い場所にありますが、一度は行ってみる価値アリ。

5 | juin

6月5日

ボンヌ・ママンのデザート

赤と白のチェック柄がかわいい「ボンヌ・ママン（Bonne Maman）」は、フランス人にとって一番親しみのあるコンフィチュールとしておなじみですが、数年前からカップ入りデザートも新しく提案するようになりました。必ず手に取るのはいちごのコンフィチュールが底に入ったヨーグルト。普通のヨーグルトにいちごジャムを入れて食べたらいいじゃないかとも思うのですが、チェック柄のふたがかぶせてあるこのカップ入りがよりおいしく感じられます。もうひとつのお気に入りは濃厚なクリームとキャラメルソースが絶妙なバランスの焼きプリン。この味は他では見つからないと思っています。他にも、チョコレートムースやタルトタタン、レモンタルト、フォレ・ノワールなど、かなりきちんとしたデザートがそろっていて、困ったことにまったく飽きません。フランス滞在中にちょっと甘いものが欲しくなったら、スーパーで探してみてください。

6 | juin

67 / 365

6月6日

ローラン・ギャロスは人の名前だって知ってた？

テニスの４大国際大会であるグランドスラムのひとつ、全仏オープンは、５月末から６月初めにかけて開催されます。グランドスラムでは唯一、赤土のクレーコートを利用する大会で、コートに屋根がなく天気の影響をもろに受けるため、波乱の多い展開になる大会としても知られています。

この大会のことを別名「ローラン・ギャロス」と呼ぶのは、その会場が、パリの西にあるブローニュの森の隣にあるローラン・ギャロス競技場だからです。ローラン・ギャロスは19世紀末から20世紀初頭を生きたパイロットで、世界で初めて地中海横断飛行に成功した人物。この功績をたたえて、競技場にその名前が付けられました。ここまで世界中の多くの人にその名を知られているとは、ギャロスさんが知ったら驚くに違いありません。

7 | juin

68 / 365

6月7日

フランス人の簡単な飲み会「ポ」

公私の区別がはっきりしているフランスでは、仕事帰りに同僚と飲みに行くことはあまりありません。会社が社員のために開催する新年会やクリスマス会以外で、職場の仲間と一緒に飲む機会といえば、「ポ(Pot)」と呼ばれる簡単な飲み会。結婚や子どもの誕生を祝ったり、入社した人を歓迎したり、退職者を送別したりという節目に行います。「ポ」とはもともと「壺」や「鍋」のことで、食べ物を囲んで行うちょっとしたパーティーも指すようになりました。社内で行うのでお店を選んだり予約したりする必要はなく、出席も義務ではない、ゆるい飲み会です。「幹事」的な役目をするのは、なんと祝われる人の方。例えばもうすぐ定年退職する人が、職場のみんなに「ポ」の開催を告知。当日、チーズやスナックなどの簡単なおつまみや、ワインやシャンパンなどの飲み物を用意するのも基本的には本人です。日本人の感覚とは正反対で、これもまたお国柄だなと思うポイントです。

8 | juin

6月8日

さくらんぼの実る頃

初夏らしいフランスのフルーツといえばさくらんぼ。マルシェに山盛りのさくらんぼが登場すると「今年もまたこの季節が来た」と幸せな気持ちになります。夏の間の短い旬を逃さないよう、大急ぎで買いに行きましょう。種類はたくさんありますが、濃い赤色で甘みの強い「Burlat《ビュルラ》」と小ぶりで甘酸っぱい「Bigarreau《ビガロ》」が最も一般的。キロあたり800～1000円ほどと、日本と比べて手頃な価格で食べられるのも魅力です。例えばマルシェでは、「さくらんぼをひとつかみください」と頼めば100円くらいで１人分が買えるので、気軽に味わってみてください。南西部のバスク地方では、地元で採れるブラックチェリーを使ったコンフィチュールが名産。羊乳で作ったオッソー・イラティというこれまた地元のチーズと一緒に食べるのが定番です。このコンフィチュールをたっぷり挟んだガトー・バスクも、ぜひ味わってほしい郷土菓子です。

6月9日

加速するベジタリアン

フランスでは肉や魚を口にしないベジタリアンは人口の2%、さらに卵や乳製品、蜂蜜も口にしないビーガンは0.5%で、まだまだ少数派ですが、どちらの市場も拡大を続けています。お肉がメインの食生活が伝統で、野菜は付け合わせの扱いでしたが、健康志向の高まりとともに野菜の存在感が増し、例えばパリの3ツ星シェフ、アラン・パッサールは2000年代初頭から野菜中心の料理を打ち出しています。

現在はレストランやカフェがベジタリアン向けのメニューを用意するのは当たり前になり、「野菜だけなのにこんなにおいしいとは」と野菜の底力を再確認させてくれるベジタリアンやビーガン専門のお店も増えています。

友人やパートナーとレストランでおいしいものを食べる時間を何よりも大切にするフランス人の中には、純粋な菜食主義者ではないけれど、可能な範囲で動物性食品を減らすフレキシタリアンも多いようです。

10 | juin

6月10日

議論はケンカじゃない

一般的に、フランス人はさまざまな物事に関して議論するのが好きで、家族や友人で集まるとたいてい何かを議論しています。政治や社会についての真面目な話から趣味の話まで、親しい間柄ならタブーなテーマはあまりありません。テーマによっては自分もその議論に参加することもありますが、日本人の私には膨大なエネルギーを要するので、ちょっと離れて観察していることも多いです。見ていてだんだんわかってきたのは、相手を説得して考えを変えさせたり、みんなが納得する結論を引き出したりするのが第一の目的ではなく、それぞれが意見を交わし合うこと自体を楽しんでいるらしいということです。議論を盛り上げようと、わざと挑発的なことを言う人もいたりして、場の雰囲気が悪くなることをなるべく避けようという意識が働きがちな日本との違いは明らかです。とはいえ、たとえどんなに白熱した議論でも、終われば後腐れがないのがフランスらしいところでもあります。

11 | juin

72 / 365

6月11日

パリの国鉄駅

パリに「パリ駅」はなく、7つの国鉄駅が中心部を囲むように点在しています。行き先により利用駅が変わるのが面白いところ。1837年に建設され、モネの絵画でも有名なサン・ラザール駅が最古で、ノルマンディー地方行きの列車が発着します。北駅はその名の通りリールなどの北部からベルギー、オランダへ。ロンドン行きのユーロスターもここです。東駅も同様に、東部のアルザス・ロレーヌ地方からドイツなど東方面行きです。リヨン駅はリヨンを通ってマルセイユなどの南仏やイタリア、スイスへの列車が発着。セーヌ川を挟んでリヨン駅と向かい合うオステルリッツ駅はフランスの中南部へ向かう列車が通ります。モンパルナス駅にはフランス西部方面の列車が発着し、ル・マンを通ってナント、さらにブルターニュ地方へ、またはロワール地方からボルドーやトゥールーズもつなぎます。あまり知られていないベルシー駅にはブルゴーニュ地方行きの列車が発着します。

12 | juin

73 / 365

6月12日

モネが暮らした家と描いた庭

パリの北西およそ80kmにある人口500人ほどの小さな村、ジヴェルニーに、ノルマンディー地方で2番目に見学者の多い、世界的な観光スポットがあります。フランスを代表する画家、クロード・モネの家と庭です。彼が1883年から亡くなるまでの43年間を過ごした当時の面影をそのまま残し、印象派絵画の巨匠が目にしていたのと同じ四季のうつろいを、訪れる者に見せてくれます。最大の見どころはお庭。モネも描いた睡蓮や日本風の橋のある池の周りには、季節ごとにさまざまな花が咲き乱れます。睡蓮が最も美しいのは6月頃ですが、他の季節でもそれぞれの美しさがあります。ピンク色の壁がかわいらしい家の中は、黄色のダイニングや、青いタイルのキッチンなど、明るく温かな色合いにあふれています。アトリエや居間、寝室も精密に再現されていて、モネの愛した浮世絵コレクションが飾られています。モネが長く暮らしたその場所に立てるなんて夢のようです。

6月13日

フランスの食卓に欠かせない！ バゲット

斜めの切れ込みを入れてこんがり焼いた細長いパン「バゲット(Baguette)」はフランスを象徴する食べ物で、この国の食卓には欠かせません。長さ55～65cm、重さ250～300g程度のものが伝統的なバゲットで、その半分くらいの細いものを「Ficelle《フィセル》」と呼びます。そのパン屋さんが一番力を入れて作るバゲットが欲しいときは必ず「Une《ユヌ》 tradition《トラディション》, s'il《スィル》 vous《ヴ》 plaît《プレ》.（トラディションを１本下さい)」と注文しましょう。普通に「Une《ユヌ》 baguette《バゲット》, s'il《スィル》 vous《ヴ》 plaît《プレ》.（バゲットを１本下さい)」と言うと出てくる１本１ユーロほどのものとは異なり、「トラディション」という名称を使ったバゲットは、添加物や冷凍不使用など、品質が保証されています。その価格は場所によってまちまちですが、パリとその近郊での価格は１本1.2ユーロ程度です。一見同じように見えるバゲットも店によってそれぞれに特徴があるので、食べ比べしてみるのも楽しいです。

14 | juin

6月14日

四季折々の味を閉じ込めた手作りジャム

　知り合いにジャム作りがとても上手なマダムがいて、作り過ぎたと言ってお裾分けしてくれる彼女のお手製ジャムが、毎年の楽しみになっています。フランスではジャムを手作りする人がとても多く、各家庭ならではの味や果物の組み合わせがあり、日本の梅干しや梅酒のような感覚があります。

　マルシェでは、いろんな果物がふんだんに採れる初夏から秋にかけて、形や色の良くないものを「ジャム用」として安く売るお店もあります。時間のあるバカンス中にジャム作りに取り掛かる人が多いのか、夏にはペクチンの入ったジャム用砂糖や、密閉瓶がスーパーに並びます。自家製ジャムはやっぱり、年季の入った大鍋でコトコト煮込むのが一番おいしい、という人もいれば、オーブンやホームベーカリーのような自動調理器に付いている「ジャム用モード」のボタンを押すだけ、という人もいます。

15 | juin

76 / 365

6月15日

さくらんぼのクラフティ

いちごやさくらんぼを買ったらちょっと酸っぱかった、なんてときのお助けレシピ。優しい甘みの生地が果物の酸味を包み込んで、おいしいデザートになります。大きめサイズのレシピなので半量で作っても、そして果物は目分量でも OK。さくらんぼの種は取らずに焼いた方が味が良くなると言われていますが、飲み込まないように注意。

［材料］6人分

さくらんぼ：300g 程度　砂糖：150g　小麦粉：60g　卵：大きめ3個（小さければ4個）
牛乳：200ml　生クリーム：200ml　バニラエッセンス：少量

［作り方］

1. オーブンを 190 ～ 200℃に予熱する。型に薄くバター（分量外）を塗り、砂糖（分量外）を振っておく。さくらんぼは洗って軸を取る。
2. ボウルに卵を割り、小麦粉を加えて混ぜ、さらに砂糖、牛乳、生クリーム、バニラエッセンスを加えてよく混ぜる。
3. 2を型に流し、さくらんぼを上にのせて、オーブンで 40 分ほど焼く。

6月16日

どうせ結婚するなら盛大に！

学生から社会人となり、パートナーを見つけ、子どもも生まれ、仕事を頑張りながら家庭生活も順調に進め、あるときふと「そろそろ結婚してもいいかも」と思う…そんな人が多いのか、フランス人の平均初婚年齢は男性38歳、女性36歳と遅めです。結婚件数は減りつつありますが、一度結婚を決めたら「たくさんの人を招待して盛大に！」と考えるフランス人が多いのも面白いところ。市役所でのセレモニー→教会での式→レストランやシャトーを貸し切っての披露宴という流れが一般的。5～6時間かけてゆっくり食事をして、夜中まで続く宴はまさに一大イベントなのですが、日本の結婚式場のような一定のフォーマットはないので、基本的にすべて自分で手配することになります。だから、子どももいて、PACSもしていて、結婚する気はあるけれど、パーティーを準備する暇が取れなかったり、予算を工面できなかったりして、先延ばしになっているケースも案外多いのです。

17 | juin

78 / 365

6月17日

種類豊富なミネラルウォーター

日本でも手軽に買えるエビアンやボルヴィックをはじめ、フランスは上質なミネラルウォーターの産地です。エビアンならアルプス、ボルヴィックなら中央山塊と、山の麓の水源から採水して直接ボトリング。水質を守るため、周辺の環境保護が徹底されています。バドワやペリエのように、自然に炭酸を含んで湧き出る水もあり、まさに自然の神秘ですね。カルシウムやマグネシウム、ナトリウムなどのミネラル成分が多く含まれた硬水が多く、産地によって水の味に違いがあります。例えばミネラル分が特に多いことで有名なコントレックスは驚くほど「味のある」水で、慣れるまで時間がかかります。日本人の口に一番合う軟水と言えばボルヴィック。一流レストランでしかお目にかかれない貴重な炭酸水がシャテルドン。ルイ 14 世に献上されたと言われ、繊細な泡が特徴です。フランス生まれのミネラルウォーターはまだまだあります。ぜひ一度飲み比べをしてみてください。

18 | juin

79
/
365

6月18日

バルドーに憧れてギンガムチェック

フランス語でギンガムチェックは、生地作りが盛んだった町の名前から「ヴィシー（Vichy）」と呼ばれています。ビストロのテーブルクロスやカーテンなど、もともとはインテリア用布地として親しまれていましたが、ブリジット・バルドーが俳優のジャック・シャリエと結婚式を挙げた1959年6月18日、彼女の花嫁姿がヴィシー柄の運命を変えることになります。純白では退屈と、クチュリエのジャック・エステレルに頼み、ピンク色のヴィシー生地でウエディングドレスを仕立てたバルドー。前開きボタンとポケットが付いた素朴な羊飼い風スタイルに加え、マリー・アントワネットをイメージした可憐なレースをデコルテと袖口にあしらったドレスは、当時の女性たちを魅了し、ヴィシーの一大ブームを巻き起こしました。映画『気分を出してもう一度』で、黒のボートネックのトップスに、青と白のヴィシー柄のスカートのウエストを、キュッとしぼって着ているのも素敵です。

80 / 365

6月19日

バカロレアの季節

フランスの学校では一部の例外を除いて、入学試験での選抜は一般的ではありませんが、その代わり中学と高校の最終学年に受ける、全国共通の国家試験が存在します。「バカロレア（Baccalauréat）」、略して「バック（Bac）」は1808年にナポレオンが導入した歴史ある試験で、高校卒業のレベルを証明します。大学進学を希望する学生には必須の資格で、逆に言えばバカロレアに合格すればいずれかの大学に入学する権利を得られます。誰でも受験が可能で、これまでの最年少は11歳、最年長は91歳でした。バカロレアと比べて日本での知名度が低いのが「ブルヴェ（Brevet）」と呼ばれる中学卒業試験。合格しなければ中学卒業資格が得られない大事な試験で、高校に進学する子どもにとっては高校入試の代わりです。バカロレアは毎年6月半ば、ブルヴェは6月末に実施されるので、夏休みを目の前にしたこの時期がフランスの受験シーズンとなります。

20 | juin

81 / 365

6月20日

哲学する高校生

80/365でお話したバカロレアには、将来の進路に応じて、普通・技術・職業の３種類があります。一般的な大学に進学するなら「普通バカロレア」、さらにその中で「人文系」「経済・社会系」「科学系」から選択します。それぞれ受験科目には違いがありますが、フランスらしいのが、文系・理系にかかわらず、哲学が必須科目であることです。この準備のため、高校３年生のカリキュラムには哲学の授業が組み込まれています。ナポレオンがバカロレアを創設した当時から試験科目だったことからも、その重要性がわかりますね。試験内容は、「時間から逃れることは可能か？」「欲望は人間の不完全さの現れであるか？」「自分の文化から逃れることはできるか？」というような設問に、４時間かけて記述式で回答します。これに高校３年生が答えるのかと思うと、良く言えば論理的な、悪く言えば理屈っぽいフランス人はこうして出来上がるのか…なんてつい考えてしまいます。

21 | juin

82 / 365

6月21日

街中が音楽に包まれる「音楽の祭典」

1年で一番日が長い夏至にあたる6月21日は「音楽の祭典（Fête《フェット》 de《ドゥ》 la《ラ》 Musique《ミュジック》）」の日。夜の10時を過ぎても明るいこの日の夕方から夜にかけて、フランス全国に音楽が鳴り響きます。1982年、当時の文化大臣ジャック・ラングの発案で生まれたこのお祭りは、35年以上を経た現在も毎年大盛況で、世界100カ国以上にまで広まりました。「音楽の祭典」の最大の特徴は、すべての市民が演者として、そして聴衆として無料で参加できること。路上や公園、カフェからコンサートホールまで、まさに街中が音楽に包まれます。各市町村が企画する公式プログラムはもちろん、アマチュアバンドからプロのミュージシャンまで、歌いたい、演奏したい人なら誰でもどこでも、音楽を奏でることができます。もちろんクラシック、ジャズ、ロックなど、音楽ジャンルも自由。音楽に合わせてみんなで体を揺らしたり踊ったり、まさに音楽を愛する気持ちに満ちた楽しいイベントです。

22 | juin

83 / 365

6月22日

傘を差さないフランス人

小雨なら帽子やフードをかぶってしのぎ、ザーザー降りでも店の軒先やメトロの出口で雨宿りをしてやり過ごす人を見かけるにつけ、フランス人はそこまでして傘を差したくないのかと不思議に思います。

日本に比べ降水量がぐんと少なく、通り雨が多いという土地柄もあるのでしょう。安価なビニール傘もなく、お店にも折り畳み傘が少し置いてある程度で長傘はあまり見かけません。その代わり、防水加工のレインコートは子ども用から大人用まで、さまざまな色や形のおしゃれなものが多く売られています。

パリのサン・ジェルマン大通りに老舗の傘屋さんがありますが、どれも職人技が光る芸術的な美しさで、それに見合った高級な値段が付けられています。傘が貴族のアクセサリーで贅沢品だった時代の印象が、今もフランス人の意識にあるのかもしれません。

6月23日

フランス人は白い壁恐怖症!?

フランスのインテリアは足し算の美学。ペンキや壁紙を施した壁に、お気に入りの絵や写真を飾り、床には絨毯、棚には本の合間に旅先で買ったオリエンタルな置物や子ども時代のおもちゃ、お気に入りのカフェオレボウルなど、あらゆる小物がびっしりと並べられ、さながら美術館のような雰囲気。片付けや収納の考え方も独特で、隠すのではなく、素敵に見せながら整理するのがフランス流と言えるでしょう。最近はシンプルな内装を好む人も増えてきていますが、それでも「白い壁は殺風景で病院のよう、インテリアに無頓着な人みたい」と無意識に感じるのか、隙間を見つけると、とにかく何か飾ってしまうのがフランス人のサガ。断捨離も良いけれど、愛着のある物たちに囲まれて暮らすのも素敵だなと思います。それぞれの良さが引き立つ置き場所を考えながら、統一感のある空間を作り上げる高度なテクニックと生まれ持ったセンスには、ただただ憧れるばかりです。

24 | juin

85 / 365

6月24日

鬼ごっこは猫とネズミ

フランスで鬼ごっこは「Le《ル》 chat《シャ》 et《エ》 la《ラ》 souris《スリ》（猫とネズミ）」。ルールは同じで、猫が鬼となってネズミを追いかけ、捕まえられたネズミが今度は猫になります。

ハンカチ落としは「Le《ル》 facteur《ファクトゥール》 n'est《ネ》 pas《パ》 passé《パセ》（郵便屋さんはまだ来ない）」というかわいらしい名前で呼ばれています。目を閉じた子どもたちが「Le《ル》 facteur《ファクトゥール》 n'est《ネ》 pas《パ》 passé《パセ》, il《イル》 ne《ヌ》 passera《パスラ》 jamais《ジャメ》. Lundi《ランディ》, mardi《マルディ》, mercredi《メルクルディ》, jeudi《ジュディ》, vendredi《ヴァンドルディ》, samedi《サムディ》, dimanche《ディマンシュ》（郵便屋さんはまだ来ない、ずっと来ない。月、火、水、木、金、土、日）」と歌い終えた瞬間に、円陣の外側をぐるぐるまわっていた郵便屋さん役が小包に見立てたものをそっと置きます。

だるまさんがころんだは「Un《アン》, deux《ドゥ》, trois《トロワ》, soleil《ソレイユ》（１、２、３、太陽）」と呼ばれています→151/365。

25 | juin

86 / 365

6月25日

タブレサラダ

スムールは世界最小と言われる粒状のパスタ。移民の多いフランスでは肉や野菜を大鍋で煮込んだクスクス料理の付け合わせとして知られていますが、スーパーで簡単に手に入る乾燥スムールを使ったサラダ「タブレ」もおなじみの存在。基本レシピに角切りのローストチキンやハム、ゆでエビなどを好みでプラスしてもおいしいです。

［材料］4人分
乾燥スムール：200g　ぬるま湯：250cc　レモン汁：1個分　刻んだミント、イタリアンパセリ：各大1　トマト：4個　玉ねぎ：2個　きゅうり：1/2本
オリーブオイル：大2　塩、コショウ：適量

［作り方］

1. 大きなボウルにスムールとぬるま湯を入れ30分ほど置き、スムールが水を吸ったらフォークでパラパラになるまでほぐす。
2. レモン汁、塩、コショウ、刻んだハーブ類、細かくカットした野菜を加えよく混ぜ、最後にオリーブオイルをかけてさらに混ぜる。
3. 冷蔵庫で2時間ほど冷やしてから召し上がれ。

26 | juin

87 / 365

6月26日

セールにかける！

　年2回行われるフランスのセール「ソルド（Soldes）」は、冬は1月第2週目の水曜日（12日以降の場合は第1週の水曜日）、夏は6月最終週の水曜日（28日以降の場合は1つ前の週の水曜日）の開始で、期間は4週間と法律で定められています。朝8時から営業が許可され、初日はいつもより早く開店する店舗が多いです。初日から20～40%割引は当たり前、週を重ねるごとに値下げされ、最終的には70%オフになる商品もあります。

　「Promotions《プロモーション》（割引）」や「Destockage《デストカージュ》（在庫一掃）」といった他の単語を用いたセールに関しては、「在庫限り」と明記さえすれば自由に行うことができるため、ソルド期間外でもバーゲンをする店も少なくありません。「Vente《ヴァント》 privée《プリヴェ》（プライベートセール）」と称してソルドの1週間ほど前から値札にシールを貼って、セールをひそかに始めているブランドも増えているので、要チェックです。

27 | juin

6月27日

長い夜を楽しむ

札幌より高い緯度にあるパリは、春から夏にかけて日がとても長くなるのが特徴です。3月末から10月末まで実施されるサマータイム →362/365 で時計の針を1時間進めるため、この傾向はますます強くなります。6月から7月のピークには、夜10時を過ぎてもまだまだ空が明るく、子どもたちさえもついつい夜ふかしをしてしまう季節です。日が長い時期はアクティブに動ける時間が増えて、夜でも治安の心配が減るので旅行者にとっても良いことづくめです。美術館やモニュメントなど開館時間が決まっているスポットの見学を日中に終わらせておけば、夕方以降はパリジャン・パリジェンヌでにぎわう街をのんびり散策する時間が取れます。マルシェやスーパーで食べ物やワインを買い、公園や橋の上で夜のピクニックをするのもいいですね。逆に冬のパリは日がとても短くなり、朝は8時でも薄暗く、夕方6時前にはすっかり暗くなってしまいます。

28 | juin

89 / 365

6月28日

全部そろえたい！ かわいいエコバッグ

レジでもらえる（買える）プラスチック製の買い物袋が2016年に廃止されて以来、どんな時にもエコバッグが手放せなくなりました。そもそもフランスでは、マルシェならかごバッグ、パン屋さんならバゲットが入る細長い布バッグという具合に、古くから目的に応じてバッグを持参する習慣が根付いていたため、廃止前から多くの店がオリジナルエコバッグを提案していました。中でも、2005年に折り畳めるナイロン製エコバッグを販売したモノプリは、エコバッグ界の先駆者。定期的に加わるいろんなモチーフがコレクター心をくすぐります。エッフェル塔をあしらったパリ柄はフランスのばらまきみやげの定番！ シンプルで丈夫なボン・マルシェ食品館の布バッグも優秀です。メゾン・プリソンのトートやパニエ型バッグは、おしゃれなパリジェンヌの新たなイット・エコバッグ。カルフールのような普通のスーパーの素朴なエコバッグも、底にマチが付いていて便利です。

29 | juin

90 / 365

6月29日

LGBTの闘いを受け継ぐゲイ・プライド

2017年に40周年を迎えた「Marche《マルシュ》 des《デ》 fiertés《フィエルテ》（誇りの行進）」と呼ばれるパリの「ゲイ・プライド」は、毎年6月末の土曜の午後、コンコルド広場からレピュブリック広場までを練り歩く一大イベント。フランスで同性愛を犯罪とみなす刑法の条文がようやく廃止されたのは1982年のこと。1999年からは民事連帯契約（PACS：パックス→ 64/365）で異性・同性間にかかわらず、未婚でも結婚と同様の法的権利が与えられ、2013年には同性婚が合法化されました。人権の国フランスはLGBTフレンドリーなイメージがあるかもしれませんが、カトリックの大きな影響を受けてきた国でもあり、LGBTの闘いは他の国同様、長い苦難の道のりなのです。色とりどりのトラックや美しく着飾ったドラァグクイーン、ごく普通の服装の人、LGBTもそうでない人も、みんながそれぞれの思いを込めて参加するゲイ・プライドには、パワーとエネルギーが満ちています。

30 | juin

6月30日

こんなパリ名物はいらない！

旅行者を狙うスリはもはや不名誉なパリ名物。美術館や観光スポットだけでなく、デパート、駅の構内やホーム、メトロの車内、人がごった返す朝市、蚤の市、普通に街を歩いている時ですら、どんな場所にもスリは潜んでいます。電車の乗降や改札を通る瞬間に、ぴたりと体を付けてこっそり財布やスマホを抜き取るのが定番の手口ですが、気をそらすために時間や道を尋ねたり、署名活動を装ったり、指輪を見せて「あなたの落とし物ですか？」と芝居をしてみたり、まさにあの手この手で仕掛けてきます。私たちのサイトでは、読者から寄せられた多くのスリ被害・未遂の体験談を紹介していますが、中には想像もつかない手口もあり、彼らが次々と編み出すテクニックには驚愕せざるを得ません。いたずらに怖がらせてしまうようですが、残念ながらこれがパリの現実です。敵の手の内を事前に知っておくことが、最大の防御となりうると思いますので、旅行前にぜひご一読ください。

1 | juillet

7月1日

歌い継がれる懐メロ

窓を夜通し開けっぱなしにしたまま、パーティーを楽しむ人が増えるこの季節は、会話や笑い声が夜遅くまで響いて、眠れないこともしばしば。苦情を言う人ももちろんいますが、日本に比べると寛容に受け止められている印象です。エアコンがないから仕方ないよね、とあきらめているのでしょうか。

フランスにはカラオケの習慣がありませんが→ 341/365、若者の飲み会では、なぜか曲に合わせて大合唱が始まります。しかも、彼らが生まれる前の70～80年代のヒット曲の歌詞を丸暗記して歌えているのが不思議でもあり、ほほ笑ましくもあり。アンドシーヌやクロード・フランソワ、ジャン＝ジャック・ゴールドマンなどが定番で、彼らとしては懐メロという意識はなく、パーティーソングのような存在なのかもしれません。はなはだ迷惑ではありますが、そんな歌声も、私にとってのフランスらしい夏の風物詩のひとつです。

7月2日

帽子について

おしゃれのために普段から帽子をかぶるフランス人は案外少なく、暑さや寒さをしのぐべく頭にのせている印象は否めませんが、みんな不思議と、さりげなくサマになっています。結婚式のようなお祝いの席や競馬場に代表される社交場で、羽やレースのあしらわれたとびきり美しい帽子をかぶったマダムや、上等なパナマ帽でキメたムッシューの姿を見るにつけ、帽子は今も、フランスの伝統や慣習と紐づいた大切な存在でもあることを実感します。「Laulhère《ロレール》」のベレー帽や「Willy's《ウィリーズ》 Paris《パリ》」のカンカン帽など、昔ながらの技術で職人が丁寧に作る老舗メゾンの帽子は、やっぱりかぶり心地が違います。大量生産で安価な帽子が増え、老舗が減る一方で、クラシックとモダンを融合したり、形と色を気軽にセミオーダーできたりと、現代のライフスタイルに合わせた帽子を提案する新たなクリエイターが誕生しているのは、帽子好きにとって喜ばしいことです。

3 | juillet

94 / 365

7月3日

街角のメリーゴーランド

どこか懐かしさを漂わせるメリーゴーランドですが、フランスではどんな小さな町にも必ず１つはある定番の遊具で、今でも現役。エッフェル塔を背景に回転する姿が夢のように美しい「Carrousel《カルーゼル》 du《デュ》 Trocadéro《トロカデロ》」、パリ市庁舎広場のクラシックな「Manège《マネージュ》 de《ドゥ》 l'Hôtel《ロテル》 de《ドゥ》 Ville《ヴィル》」、白亜のサクレクール寺院が建つモンマルトルの丘にある「Carrousel《カルーゼル》 de《ドゥ》 Saint《サン》-Pierre《ピエール》」、オペラ座を設計したシャルル・ガルニエが 1879 年に手がけ、現存する最古のものとして知られるリュクサンブール公園の「Manège《マネージュ》 Garnier《ガルニエ》」、馬ではなく絶滅危惧種の動物たちの乗り物が個性的なパリ植物園内の「Dodo《ドド》 Manège《マネージュ》」など、数え上げたらキリがないほどパリのいたる所で素敵なメリーゴーランドに出会えます。場所によっては大人も楽しめます。100 年前のメリーゴーランドがある 12 区の縁日博物館→ 274/365もおすすめです。

4 | juillet

95 / 365

7月4日

サヴィニャックに会いに…

名前は知らなくても、サヴィニャックの絵は見たことがあるという人は多いかもしれません。愛嬌とユーモアあふれる作風で50～70年代にかけて数々の広告で記憶に残るイラストを描いた、フランスを代表するポスター画家ですが、彼が62歳の時にパリから移り住んだトゥルーヴィルという海辺の町に多くのイラストが残されています。

商店の壁画や町の催しのポスター、カフェのメニューやロゴ、ビーチ沿いの看板など、トゥルーヴィルの町全体がまるで彼のキャンバスのよう。「ポスターは町なかにあってこそ輝く」と語ったサヴィニャックのエスプリが、半世紀ほど経った今もここには息づいています。

パリのサン・ラザール駅から電車で2時間ちょっと。19世紀後半にパリの上流階級の人々がバカンスを過ごすために建てた海沿いのヴィラの美しさと、かつて小さな漁村だった素朴な雰囲気が相まった、小さいながらも魅力的な町です。

5 | juillet

96 / 365

7月5日

ながーいアペリティフの時間

夕方、カフェでちょっと一杯どう？ と誘われて行ったら、なんだかんだで2時間ぐらい経ってしまい、お腹が空いて辛い思いをしたことが多々あります。軽く食事をしながらお酒を飲むというスタイルはほとんどなく、「ちょっと一杯」は文字通り飲み物だけというのがフランス的な感覚です。

たまにサービスで出されるナッツやオリーブではお腹は満たされず、かといってサラミや生ハム、チーズの盛り合わせを注文する人もあまり見かけません。その後ディナーを食べる場合でも、21時頃にようやくレストランへ移動することもしばしばで、早い時間に食事をしたい私はもうフラフラ。日本で知られるアペロはフランス人が家庭でするアペロ・ディナトワール（ディナーを兼ねたアペロ）→ 28/365に近いので、外でのアペロに誘われたら、軽く腹ごしらえしておくことをおすすめします。

6 | juillet

7月6日

なまいきシャルロット

太陽がジリジリと照りつける暑い日は、ふと『なまいきシャルロット』のことを思い出します。今から30年以上も前の映画だけれど、この季節になると自然と手に取り、見るたびに初めて観たときの記憶がよみがえります。フランスの片田舎で退屈な夏休みを過ごす主人公の、思春期特有の不安定で鬱屈とした気持ちや未知の世界への憧れをみずみずしく表現していた、当時14歳のシャルロット・ゲンズブールにひと目で恋に落ちました。

彼女が劇中で着ているオーバーサイズのボーダーシャツや、白いシャツにミニのデニムスカート、胸元が開いた小花柄のワンピースはどれも本当に素敵で、少しでも近づけないかと似たような服を探したものでした。私がフランスに惹かれるきっかけとなった映画の１本でもあり、シャルロット・ゲンズブールは昔も今も、これからも、同世代の憧れの人としてあり続けるでしょう。

7月7日

運河から眺めるパリの下町

パリ10～11区を流れるサン・マルタン運河を渡る「カノラマ」は、華やかなセーヌ川沿いとはまた違った、パリの素朴な表情を見せてくれる遊覧船。バスティーユ広場近くのアルスナル港とパリ北部のラ・ヴィレット貯水池、2つの発着所を結ぶ4.55kmの距離を2時間半かけてゆっくりと進みます。アルスナル港を出発するとすぐ、ひんやりとした地下水路に潜ります。石造りの丸天井から時折差し込む陽の光がとても幻想的。レピュブリック界隈で地上に出ると、映画『アメリ』で見た下町情緒あふれる景色が広がり、運河沿いで思い思いに過ごすパリジャンたちの何気ない日常を、船上から垣間見ることができます。運河には25mの高低差があるため、一度、水位調整をするのですが、せき止められた水が勢いよく流れる瞬間は迫力があります。到着地のラ・ヴィレット地区に近づくにつれ、広々とした緑地帯や近代的な建物が増え、また知らないパリの一面に出会えます。

8 | juillet

99 / 365

7月8日

子どもたちの夏休みがスタート！

フランスの学校ではおよそ２カ月おきに年５回の休暇があります。春、秋、クリスマス、冬のバカンスは２週間。一番長いのが７月初めから９月初めまで２カ月続く夏休みで、「Grandes《グランド》 vacances《ヴァカンス》（大きなバカンス）」と呼ばれます。子どもたちと同じだけ休暇の取れる親はほとんどいないので、祖父母の家に預けたり、「Centre《サントル》 de《ドゥ》 loisirs《ロワジール》」と呼ばれる学童に通わせたりします。子どもたちだけが参加する林間学校「Colonie《コロニー》 de《ドゥ》 vacances《ヴァカンス》」も盛ん。スポーツや体験学習などさまざまなテーマが選べます。この長〜い夏休み、基本的に宿題はありません。日記に追われることも、自由研究のテーマに悩むことも、ラジオ体操も登校日もありません。さすがに２カ月何もさせないのはマズイと思う親を狙って、バカンス前には各学年の夏休み用ドリル「Cahier《カイエ》 de《ドゥ》 vacances《ヴァカンス》」が書店に並びますが、薄いドリルを１冊こなすだけで、フランスの子どもたちには正真正銘のバカンスが待っているのです。

9 | juillet

100 / 365

7月9日

素朴なカマンベールのパッケージ

カマンベールチーズの入った丸い木箱は、捨てるには忍びないかわいらしい容器のひとつ。薄い白木を円形に曲げてホチキスのような針で止め、ふたにはブランド名とイラストが印刷されたカラフルなシールが貼られています。時には、木の表面に焼印を押して名前を記している箱もあり、その飾り気のなさに魅かれます。カマンベールに限らず白カビ系のチーズには木製の箱が用いられることが多く、今は紙製のものも増えていますが、チーズが自然に呼吸でき、おいしい状態で長持ちさせるためには、やはり木の箱が良いのかもしれません。

チーズに限らず、生牡蠣や野菜を入れる箱、ブリオッシュ型など、フランスの食文化に欠かせない木箱は伝統的にポプラの木を使いますが、昨今は需要が増し、植林しても追いつかないという心配も耳にします。丈夫で愛らしい木の箱を、捨てずにうまく再利用できないものかと考えています。

10 | juillet

101 / 365

7月10日

カフェで楽しむビールカクテル

キリッと冷えたビールがおいしい季節になりました。ワインの印象が強いフランスですが、ビールが好きな人も多く、フランスをはじめ、ベルギーやオランダ、イギリス、デンマークなど、各国の異なる色や味わいの生ビールがどんな小さなカフェにも４、５種類はそろっています。

ブロンドビールをベースにしたカクテルも、フランスで親しまれているカフェの定番ドリンクです。ビールとレモネードをミックスした「パナシェ（Panaché)」はビールが苦手な人でも飲みやすい、すっきりとした喉ごし。そのパナシェにざくろシロップを加えると、「モナコ(Monaco)」という名前のビールカクテルが出来上がります。鮮やかなピンク色がこの上なくかわいらしく、シロップの甘さとビールのほろ苦さがマッチしたカクテルです。もちろん、夏に限らず１年通して楽しめます。

11 | juillet

102
/
365

7月11日

そろそろ夏のバカンスの季節

7月も半ばに近づくとバカンスに出かける人が増え、近所のお店も休業し始めます。外国、国内、動きまわる人、1カ所に留まる人…行き先や過ごし方はさまざまですが、とにかくフランス人の大半が、仕事から離れて自由な時間を過ごせるバカンスを大事にしています。「Juillet《ジュイエ》（7月）」と「Août《ウット》（8月）」をもじり、7月にバカンスを取る人を「Juillettiste《ジュイエティスト》」、8月の人を「Aoûtien《アウシアン》」と呼びます。1930年代後半に有給休暇制度が始まって労働者たちも休暇を取れるようになったものの、その多くは工場や会社が一斉に休業する8月に限定されていました。一方、休暇のタイミングを自由に選べる経営者や管理職、自由業者たちは混み合う8月を避けて7月を選ぶことが多く、結果、7月のバカンスは「シック」で8月は「庶民的」というイメージが生まれました。現在ではそんな区別はすっかりなくなったようですが、7月派と8月派で分かれているのは確かです。

12 | juillet

103 / 365

7月12日

幸せを呼ぶすきっ歯

　きれいな歯並びがよしとされるフランスでも唯一の例外があります。前歯２本の間に隙間のある、いわゆるすきっ歯が「Dents《ダン》 du《デュ》 bonheur《ボヌール》（幸運の歯）」と呼ばれているのです。歯並びを特に気にするであろう俳優や歌手の中でも、幸運の歯をそのままにしている人は多く、有名なところではシルヴィー・ヴァルタンやヴァネッサ・パラディ、フレンチポップス界の大御所ロラン・ヴルジー、元テニスプレイヤーで歌手に転身したヤニック・ノアなど。フランス人ではありませんが、ジェーン・バーキンやマドンナ、エルトン・ジョンも幸運の歯を持つ有名人です。こんな素敵な名前が付いていたら、コンプレックスになるどころか、ずっとそのままにしておきたい、いや、しておかないと不幸が訪れそうな気も…。

13 | juillet

104 / 365

7月13日

トリコロールの旗

青・白・赤のトリコロールでおなじみのフランス国旗。1789年に始まったフランス革命という動乱期に生まれたこともあってその起源ははっきりしませんが、軍隊で用いる円形章にこの3色が使われたのが始まりのようです。白はブルボン王朝を、青と赤はパリ市を象徴しています。当初は色の順番や向きが異なる旗が使われることもありましたが、1794年からは現在のデザインに確定され、フランスの現行憲法第2条でも規定されています。今では世界中で、この3色の組み合わせを見ればまずフランスのことを思い浮かべる人が多いのではないでしょうか。

フランスの国旗を描こうとして色の順番を間違えてしまうのはありがちなミスです。縦向きに左から青・白・赤なので覚えておきましょうね。ちなみに横向きで上から赤・白・青なのはオランダ国旗です。

14 | juillet

7月14日

制服姿にうっとりする革命記念日

1789年7月14日に起こったバスティーユ監獄襲撃がフランス革命の発端となり、王政が廃止され共和国が成立したことを祝うのが、7月14日の革命記念日の祝日です。正式名称は「Fête《フェット》 Nationale《ナショナル》 Française《フランセーズ》（フランス国民祭）」ですが、ほとんどの人が日付そのまま「Quatorze《キャトーズ》 juillet《ジュイエ》」と呼びます。ルネ・クレール監督の映画『Quatorze juillet』の邦題から、日本では「パリ祭」と呼ばれていますね。メインイベントは軍事パレード。朝10時、大統領を乗せた戦車を皮切りに、陸軍士官学校や海軍兵学校の生徒、陸海空軍の部隊、消防士たちが、シャンゼリゼ大通りを凱旋門からコンコルド広場まで行進。上空では青・白・赤の煙を出しながら戦闘機が飛行し、見物客を魅了します。この日のシャンゼリゼの混雑ぶりはすさまじく、テレビの生中継で見た方が細かいところまでよく見えておすすめ。初々しい学生からたくましい兵士まで、凛々しい制服姿にうっとりします。

15 | juillet

106
/
365

7月15日

エッフェル塔の花火でパリ祭を締めくくる

もう少し、革命記念日のお話を続けましょう。午前中の軍事パレードが終わると、全国からパレードのために集まった学生や兵士たちが、その制服のままパリの街中を歩いている姿によく出くわします。お祭り気分が漂っているせいなのか、気軽に写真を撮らせてくれることもあるので、勇気を出して声をかけてみましょう。

夜の9時過ぎからはエッフェル塔のふもと、シャン・ド・マルスで無料の野外コンサートが行われます。そして夜の11時過ぎからは、毎年恒例、エッフェル塔から花火が打ち上げられます。エッフェル塔に映し出されるプロジェックションマッピングとともに打ち上げられる色とりどりの花火は、まさに芸術品です。毎年50万人もの人がシャン・ド・マルスでこの華やかな花火を見守り、1年に一度のお祭りが締めくくられます。

16 | juillet

7月16日

ラ・マルセイエーズ

フランスの国歌「ラ・マルセイエーズ」は、フランス革命の最中に始まったオーストリアとの戦争で、ストラスブールに駐屯していた部隊の士気を鼓舞するため、音楽家でもあった大尉ルージェ・ド・リルが1792年5月に作詞作曲したと言われています。同年7月末、王権を打倒する武装蜂起に参加するため、マルセイユからパリにやってきた連盟兵が口ずさんでいたことからこの歌が定着し、「ラ・マルセイエーズ」と呼ばれるようになりました。正式に国歌として採用されたのは1795年。勇ましくも美しいメロディの一方で、その歌詞は元軍歌らしくかなり過激で驚きます。サビの部分だけでもこんな感じ。「武器を取れ 市民らよ／隊列を組め／進もう 進もう！／汚れた血が／我らの畑を満たすまで！」小学校では国歌を習いますが、学校の行事で歌うことはなく、国歌を聞いたり歌ったりする機会はスポーツの試合や大統領のテレビ演説などに限られています。

17 | juillet

108 / 365

7月17日

黄色いポスト

赤いポストを見慣れていると、パリで見かける黄色いポストはとても新鮮に映ります。フランスの郵便ポストは1949年からずっと、ナントという街にある「Dejoie《ドゥジョワ》」という老舗の鋳造会社が作り続けているものです。よく見かける１本足のポストは昔ながらの形。郵便局の外に備え付けられているのは寸胴で大きな箱の形をしているものが多いですが、たまに壁にはめ込まれた小さなタイプもあり、これもかわいらしいです。フランス生活１年目の忘れられない失敗があります。「この近くにポストはありますか？」と聞いたら遠い所にある郵便局を教えられ、帰り道、もっと近い道端に郵便ポストが立っていたことに気づき、意地悪されたのかと思いましたが、後になってフランス語で「La《ラ》 poste《ポスト》」は郵便局のことで、投函するためのポストは「La《ラ》 boîte《ボワット》 aux《オ》 lettres《レットル》（手紙の箱）」と呼ぶのだと知り、自分のフランス語力のなさに顔を赤くしました。

18 | juillet

7月18日

バカンス気分を映画で楽しむ

夏の避暑地を舞台にしたバカンス映画は、フランス映画を語る上で外せない一大ジャンル。見知らぬ土地で過ごす解放感あふれる非日常の数週間は、新たな出会いにときめいたり、ともに旅する友人や家族とギクシャクしたりと、思いも寄らぬハプニングの宝庫。ジャック・タチの『ぼくの伯父さんの休暇』は、海辺で過ごすムッシュ・ユロとホテル客たちとの人間模様がややこしくもあり、おかしくもあり。モノクロの時代から変わらぬバカンスの風景にしみじみします。ルコント監督の『レ・ブロンゼ』はスカッと笑えるおバカな傑作。『海辺のポーリーヌ』『緑の光線』『クレールの膝』など、ロメール監督は多くのバカンス映画を残しています。ジーン・セバーグがセシルを演じた『悲しみよこんにちは』には、バカンス特有のどこか気だるい空気感が密封されています。『可愛いリリー』『マルセルの夏』他、バカンス気分を味わえる映画を探してみてください。

7月19日

クラリネットをこわしちゃった

「クラリネットをこわしちゃった」が元はフランス語の歌だということ、ご存知でしたか？ サビの「オーパキャマラド…パオパオパンパンパン」は、歌いながらも子ども心に不思議な響きで、壊れたクラリネットのめちゃくちゃな音色を表しているのかと思い込んでいましたが、実は「Au《オ》 pas《パ》 camarade《キャマラードー》, au pas《パ》 camarade《キャマラードー》, au pas《パ》 au《オ》 pas《パ》 au《オ》 pas《パ》」なのでした。「仲間よ、足並みをそろえよ」という意味で、原曲は「La《ラ》 chanson《シャンソン》 de《ドゥ》 l’oignon《ロニオン》（玉葱の歌）」と呼ばれる軍隊が歌った行進曲とされています。その歌が後に「J'ai《ジェ》 perdu《ペルデュ》 le《ル》 do《ド》（ドをなくしちゃった）」というタイトルに代わり、サビ以外の歌詞が壊れたクラリネットにまつわるストーリーになったようです。日本語詞を手がけたシャンソン歌手の石井好子さんは、サビの部分だけフランス語の響きとリズムを重視してそのまま残したと語っています。

20 | juillet

111 / 365

7月20日

パリのど真ん中でバカンス気分

夏の間、パリの真ん中がビーチに変身する「パリ・プラージュ」は、2002年から続くイベント。もともとは経済的な理由で夏休みに海に行けない市民たちのために生まれたアイデアでしたが、今ではそれに関係なく、暑い夏を爽やかに過ごそうと多くの人が利用する大人気企画です。規模も拡大しており、2019年は7月初めから9月初めまでの2カ月間開催。セーヌ河岸に加え、市庁舎前広場やパリ北東のラ・ヴィレット運河も会場です。ウッドデッキや芝生が敷かれ、ヤシの木が南国気分を演出する、快適なくつろぎスペースです。パラソルの下の長椅子で読書するのもよし、太極拳やダンス、ビーチバレーなどスポーツを楽しむもよし。子ども向けの遊び場やゲーム、アトリエも充実していて、家族みんなで楽しめます。もちろんすべて無料。ラ・ヴィレット会場にはセーヌ川を区切って作られた3つのプールが設置され、通常は遊泳禁止のセーヌ川で泳ぐ珍しい体験もできます。

7月21日

フランスのジンクス その1

フランスにも、縁起の良いものから悪いものまでたくさんの迷信があります。非科学的で、嘘か誠かわからないようなジンクスにこだわるフランス人は少ないだろうと何となく思っていましたが、こちらに住むようになって、それが私の勝手な思い込みだったとわかりました。所変わればで、フランスの迷信は日本のものとはガラリと違って面白いです。

例えば、家の中で傘を開いてはいけない。使って濡れてしまった傘を乾かす分にはOKという人もいますが、何の理由もなく傘をパッと開こうとすると慌てて止められます。一度、買ったばかりの傘の柄を見せようとして失敗したことがあります。はしごの下を通らない。帽子をベッドの上に置かない。うっかりやってしまったら不幸が訪れると言われていますが、この2つはきっと、危ないからとか、行儀が悪いからというような理由からきているのかもしれません。

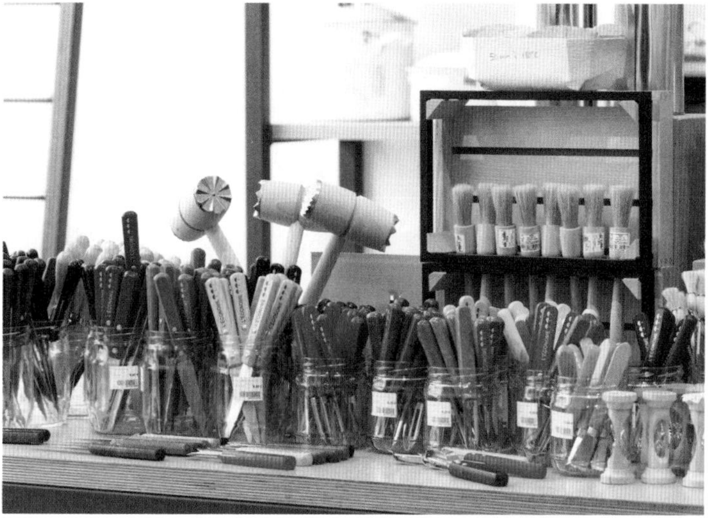

7月22日

慣れれば便利？ フランスの皮むき器

野菜の皮をむくピーラーを指すフランス語は「Épluche《エプリュッシュ》-légumes《レギューム》」や「Éplucheur《エプリュシャー》」ですが、たいていのフランス人は「エコノム（Économe）」と呼びます。エコノムは、フランス中部のオーヴェルニュ地方にあるティエールという町で、ヴィクトール・プゼという人が1929年に発明した皮むき器の商標名で、小型ナイフのような真っすぐな形をしています。日本ではT字形のものが一般的ですが、フランスではほとんどの家庭がこのエコノムを使っています。エコノムの特徴は押しても引いても皮がむけること。じゃがいもは前に向かってシャッシャッと細かく動かしてもよし、包丁でするように親指を添えて外側から内側へすべらせてもよしで、自由度が高く小回りが利きます。芽や芯は刃先を使って取り除けます。茶色の持ち手が定番ですが、今はピンクやイエローなどカラフルなものもあって、選ぶのが楽しいです。

23 | juillet

114 / 365

7月23日

サラダにフルーツでアクセント

フランス料理に砂糖を使うことはほとんどなく、いわゆる甘辛い味付けは伝統的には存在しませんが、前菜やサラダに果物の甘みを加えて味を引き立てるのはよく使われる技です。家庭でもすぐに試せるのが、グリーンサラダにフルーツをプラスすること。白桃、黄桃、オレンジ、グレープフルーツなど、一口サイズに切った季節のフルーツを混ぜ、お酢と塩とオイルのシンプルなドレッシングで和えれば、いつものサラダがレストランの味に早変わりです。いちじくも塩味のものとよく合う果物。サラダに入れてもよし、メロンの代わりに生ハムと合わせても最高です。トマト、モッツァレラ、バジルが定番のカプレーゼには、トマトの代わりにいちごや桃を使ってみるのもいいですね。クリーミーなチーズに果物の甘みと酸味がマッチしておいしいです。ドレッシングにバルサミコ酢を使えば、ますます味に深みが出ます。

24 | juillet

115 / 365

7月24日

思いっきりサングラスを楽しむ

日本に比べてフランスの夏はとてもまぶしく、直射日光がガツンと目に刺さるような感覚があり、夏の間はサングラスが手放せません。紫外線対策のために、よちよち歩きの子どもや赤ちゃんですら小さなサングラスをかけている姿は、なんとも愛らしいものです。

眼鏡店やデパートには有名ブランドのサングラスがずらりと並んでいますが、セレクトショップや洋服ブランドでは安価なものを置いている所が多いです。特に、海に行くときはサングラスをなくしたり汚したりしてしまいがちなので、遊び心のあるプチプラのものを選ぶようにしています。最近のお気に入りは「Jimmy《ジミー》 Fairly《フェアリー》」というブランドで、流行を押さえつつ少しビンテージ感のあるデザインが100ユーロ前後で見つかります。１本購入すると発展途上国にメガネ１本が贈られる「Buy one, give one」という慈善活動を行っている点も、応援したくなる理由のひとつです。

7月25日

パリの地区：カルチエ・ラタン

セーヌ川左岸の東側に広がるカルチエ・ラタンは、パリで最も長い歴史を持つ地区のひとつ。古代ローマ時代の紀元1世紀に建てられたリュテス闘技場は今も公園として残されています。中世にはソルボンヌ大学が誕生し、ヨーロッパ各地から学生たちが集まりました。彼らがラテン語で会話していたことに由来して、「カルチエ＝地区」「ラタン＝ラテン語」と名付けられたと言われています。現在もパリ大学などの高等教育機関が点在し、学生たちの活気であふれています。

学生向けのリーズナブルなレストランやカフェ、良心的な価格のホテルも多いので、旅行者にとっては穴場的な地区です。フランスの偉人たちを祭るパンテオンやクリュニー中世美術館、自然史博物館や植物園、併設のレストランでおいしいクスクスやミントティーが味わえるモスクなど、見どころもいっぱい。食いしん坊にはたまらないグルメなお店が並ぶ、庶民的な商店街ムフタール通りも必見です。

26 | juillet

7月26日

エアコンがない！

フランスの夏は日本に比べて気温が低めで、湿度も低いので、比較的過ごしやすいのが特徴。ほとんどの家庭にはエアコンがなく、暑い日はまだ気温の低い朝のうちから窓も雨戸も閉め切って直射日光を遮り、室内の温度が上がるのを避けて乗り切るのが普通。ところがこの20年ほどで、「Canicule《カニキュル》」と呼ばれる猛暑が増えてきました。近年で最悪だったのが2003年の夏。各地で日中の気温が35度から40度を超え、夜も熱帯夜となり、それが２週間続いた結果、高齢者を中心に１万9000人もの人が亡くなりました。通常そこまで暑くならない北部では、病院や老人ホームにすらエアコンがないケースが多く、それが被害の広がった原因のひとつだとして、その後は医療施設でのエアコン設置が進みました。その後も数年おきに猛暑の年がありますが、家庭内のエアコン普及率はまだまだ低め。一方、旅行者の多いホテルではエアコン完備している所がほとんどです。

27 | juillet

118 / 365

7月27日

暑い日にはロゼ

夏、冷蔵庫に１本、冷えたロゼがあると幸せ。赤ワインほど重くなく、白ワインのようなピリッとした感じもなく、すいすいと喉を流れるような飲みやすさがあり、暑い日のアペリティフにはキリッと冷えたロゼが最高です。薔薇色という名前も素敵ですよね。どんなカフェやレストランにも、必ずロゼのチョイスがあり、夏には好んでロゼを注文するフランス人も多いです。

私が好きなロゼは、「Miraval《ミラヴァル》」「Whispering《ウィスパリング》 Angel《エンジェル》」「AIX《エクス》」の３本。「Miraval」はブラッド・ピットとアンジェリーナ・ジョリーが所有するシャトーのもので、ミーハー心から飲んだものの、とてもおいしい！　３本とも少し高級なお値段なので、特別な日のために。安価でおいしいボトルが山ほど見つかるのがロゼの素晴らしいところなので、フランスでお気に入りのロゼに出会ってください。

28 | juillet

7月28日

パリでいちばんのアイスクリーム

パリで最も有名なアイスクリーム屋さん「ベルティヨン」は、サン・ルイ島の目抜き通りに店舗を構え、1年中行列がなくならない名所のひとつ。毎朝届けられる新鮮な牛乳や季節のフルーツで丁寧に手作りされるアイスクリームの上品なおいしさに、大人も子どももとりこです。1954年の創業以来、ベルティヨン家が代々守り続ける味は唯一無二なのです。テイクアウトに長い行列が出来ていても、意外と空いていて穴場なのが隣のサロン・ド・テ。たっぷりのホイップクリームに、いちごやフランボワーズ、マロングラッセなど季節によってトッピングが変わるパフェ「Melba《メルバ》」は、至福の味です。ただし夏真っ盛りの8月は閉店しているので要注意。売上の大半を占める注文販売の顧客がバカンスに出てしまうからだとか。もちろんその間も、「ベルティヨン」のアイスクリームを食べられるカフェやレストランはサン・ルイ島をはじめ、パリ中で見つかるのでご安心を。

7月29日

理想のウエディングドレスを求めて

いろんな結婚の形があるだけに→ 63/365・77/365、一概には言えませんが、結婚を控えた多くの女性にとって、ウエディングドレスはじっくり選びたい大切なもの。かつてはブライダルフェアを訪れるのが定番でしたが、昨今はネットで情報収集をして、夢に描いたドレスをセミオーダーする人が増えています。今、人気を集めているのがパリにアトリエを構える「ロール・ド・サガザン」。ショールームに並ぶパリらしいシンプル&シックなドレスの数々は、息をのむ美しさ。パンツスタイルもあり、時代の空気感に寄り添う多様性も支持される理由でしょう。教会での挙式や披露宴をしない場合、義務である市役所でのセレモニーのためだけにドレスを準備するのはちょっと…という人のために、白を基調としたワンピースやツーピースなど、多くのドレス専業ブランドが「Mariage《マリアージュ》 civil《スィヴィル》（市民婚）」向けのラインを提案しているのも、フランスならではです。

30 | juillet

121 / 365

7月30日

オリンピックもクールに

「近代オリンピックの父」クーベルタン男爵はフランス人で、オリンピックの公用語もフランス語と英語ですが、フランスでの開催は夏と冬どちらも２回ずつで、特別多いとは言えませんし、オリンピックへの強い気持ちもそこまで感じられないのが面白いところ。サッカーやラグビーのＷ杯の方がより街の空気が盛り上がる印象です。期間中は国営放送がしっかり中継しますが、選手の人となりがわかるような特集番組やテーマ曲を作って盛り上げるようなことは一切なく、スポーツを純粋に観戦するのがメインで、とてもクールです。1924年のパリ五輪からちょうど100年目にあたる2024年には、パリで夏季大会が開催される予定です。エッフェル塔前の公園シャン・ド・マルスやグラン・パレ、ヴェルサイユ宮殿など歴史的なモニュメントも競技場として使われる予定で、まさにパリらしい大会になりそう。さすがのフランス人も自国開催でぐっと盛り上がるのか注目です。

31 | juillet

122 / 365

7月31日

サン=テグジュペリが消えた日

作家であり、パイロットでもあったアントワーヌ・ド・サン=テグジュペリは、1944年の今日、偵察型戦闘機で出撃した後、地中海上空で行方不明になりました。半世紀以上経った2000年に搭乗機の残骸が確認され、7月31日が彼の命日となりました。

サン=テグジュペリが残した、優しい言葉でつづりながらも哲学的な余韻を感じさせる数々のフレーズは、今も名言としてたびたび引用されます。『星の王子さま』は、さまざまな解釈が重層的に散りばめられた寓話のようで、読むたびに新たな発見があり、世代と国を超えて愛され続ける理由がわかります。最後に『人間の土地』より、私が好きな彼の言葉を。

Aimer《エメ》, ce《ス》 n'est《ネ》 point《ポワン》 nous《ヌ》 regarder《ルギャルデ》 l'un《ラン》 l'autre《ロートル》 mais《メ》 regarder《ルギャルデ》 ensemble《アンサンブル》 dans《ダン》 la《ラ》 même《メーム》 direction《ディレクション》.

(愛するとは、お互いを見つめ合うことではなく、ともに同じ方向を見つめること)

1 | août

8月1日

バカンスと読書

バカンスといえば、海であれ、山であれ、やはり1カ所にのんびり滞在するのが昔も今も変わらない、一番フランス人らしい過ごし方。そしてそこには必ず本を持っていくのもフランス流です。夏休みが近づくと、バカンス中に読むべき本の紹介をいたる所で目にするようになります。

ある調査によれば、フランス人の9割が夏のバカンス中に読書する、と答えていて、イギリス人やドイツ人を抑えてヨーロッパで1位。しかも、バカンス中に4冊以上読破すると答えたフランス人は24%で、これも他の国を大きく引き離して1位です。さらに、フランスでは電子書籍の人気は低く、71%が紙の本を好む、と回答しています。ドイツ人の39%、イギリス人の44%が電子書籍を好むと回答しているのと比べるとかなりの差ですね。ビーチチェアに寝そべって読書、それがやっぱりフランス人の理想のバカンスなのでしょうか?

2 | août

8月2日

シャンパンよりも手軽なスパークリングワイン

クリスマスや大晦日、誕生日、結婚記念日など、お祝いの席に欠かせないシャンパンは、数あるスパークリングワインの中でも、特別な日にぴったりの華やかなお酒。フランス北部に位置するシャンパーニュ地方で作られ、使用する品種や瓶の中で発泡させる技術など、細かく定められたいくつかの規定をクリアしたものだけがシャンパンと称される資格を持ちます。そのため、高級品でもあり、本場フランスですら日常的に飲むものではありません。

よりリーズナブルで気軽に楽しめるスパークリングワインとしては、「ヴァン・ムスー（Vin mousseux）」と「クレマン（Crémant）」があり、安いムスーは甘い果実のリキュールを割って飲むのもおすすめ。時に、味や香り、質の高さにおいて、シャンパンに引けを取らない素晴らしいクレマンに出会えるのも、うれしい驚きです。

125 / 365

8月3日

ニセモノの友達には気をつけて

英単語に似ているフランス語の単語はたくさんありますが、意味やニュアンスの異なるものが少なくありません。それらは「Faux-amis《フォザミ》(偽の友達)」と呼ばれ、フランス人が英語を学ぶ際に、特に注意するよう指導されます。

「Librairie《リブレリ》」は英語の「Library《ライブラリー》(図書館)」に似ていますが、本屋さんのこと。フランス語の図書館は「Bibliothèque《ビブリオテック》」。「Caméra《カメラ》」はフランス語でビデオカメラを意味し、写真機は「Appareil《アパレイユ》 photo《フォト》」。「Photographe《フォトグラフ》」は響きから写真そのものかと勘違いしやすいですが、カメラマンのことで、写真は「Photo《フォト》」「Photographie《フォトグラフィ》」と言います。「Car《カー》」は自動車ではなく大型バスのことで、フランス語で車は「Voiture《ヴォワチュール》」。他にもたくさんあるので、「Faux-amis」で検索してみてください。英語を学んでからフランス語に挑戦する人にもきっと役立つと思います。

4 | août

126 / 365

8月4日

ムール貝が食べたい

オレンジ色のプリッとした身に、海の旨味が凝縮されたムール貝は、フランスで味わいたい名物料理のひとつです。玉ねぎをバターで炒め、パセリなどの香草と白ワインを入れて煮たムール・マリニエール（船乗りのムール貝）は、シンプルなだけに、ムール貝のおいしさが際立つ定番メニュー。ベーコンとフレッシュクリーム、ロックフォールチーズ、カレー風味など、ちょっと変わった味付けも人気です。身を外したムール貝をトング代わりに、次から次へとつまんでは口に入れ、手が汚れるのもお構いなしに黙々と夢中で食べ続けてしまうおいしさがあります。

７月から４月にかけての旬を逃すと、ムール貝を提供しているブラッスリーがまったく見つからないことも。それでも食べたい！というときは、ベルギー生まれのチェーン店「レオン」がおすすめです。１年を通して、おいしいムール貝を満喫できます。

5 | août

127 / 365

8月5日

パリからパリジャンがいなくなるとき

8月に入るとバカンスに出る人がますます増えます。パン屋さんやチーズ屋さん、肉屋さん、カフェなど近所の店が「8月×日から×日まで夏休みです」と貼り紙をして閉店し始め、毎週立つマルシェも店の数がぐっと減ります。そのピークが、祝日の8月15日を挟んだ前後2週間。この期間は、たとえ世界中から観光客がやって来るパリの中心部であっても、個人経営の店舗はかなりの確率で閉まっています。パリの街からパリジャンがいなくなり、ふと気がつくと、自分のまわりには海外からの旅行者しか歩いていなかった、なんてこともよくあります。普段なら車と車が触れ合うくらいにびっしり停まっている路上駐車も、この時期だけは嘘のように少なくなります。行ってみたいお目当てのレストランやショップがある人は、8月のこの時期は避けるのがベターです。もちろんメリットもあり、道路やメトロ、デパートなどの混雑が減るので、よりのびのびとパリ歩きを楽しめます。

6 | août

128 / 365

8月6日

アイスコーヒーを求めて

フランスでは、アイスコーヒーを出すカフェはほとんどありません。ごくたまに「Café《カフェ》 frappé《フラペ》」という呼び名で、ダブル・エスプレッソと氷をシェイクして冷やし、少し泡立ったアイスコーヒーをサーブするカフェもありますが、残念ながら、あまりおいしいものに出会ったことがありません。2004年、パリにスターバックスコーヒーが初上陸してからは、ブラックのアイスコーヒーだけでなく、アイスラテやフラペチーノなど、冷たいコーヒードリンクを出すNYスタイルのカフェもぐんと増えましたが、いわゆるフランス的な昔ながらのカフェでは、アイスコーヒーは今も珍しい存在。

アイスティーも同じく、ピーチ味の甘いソフトドリンクはありますが、紅茶を冷やしたシンプルなものはありません。フランスのカフェで無糖の冷たい飲み物といえば、もっぱらミネラルウォーターか炭酸水のみです。

8月7日

パリの合羽橋

東京の合羽橋ほどの規模ではありませんが、パリにも調理器具や食器などを扱う専門店がいくつか集まった地区があります。場所はパリの中心にあるショッピングセンター、フォーラム・デ・アールの北側。パリの歴史に詳しい方ならもうお気づきかもしれませんが、ここには12世紀から続く歴史ある生鮮食品の市場があり、1971年にパリの南にあるランジス市に移転するまで、まさにパリ市民の食を支える場所でした。すぐ近くに道具街ができたのも納得です。1814年創業の「MORA《モラ》」、1820年の「E. Dehillerin《ウドゥイルラン》」、1884年の「A. Simon《アシモン》」などのお店が、レ・アールの市場が毎日にぎわっていた頃と変わらず営業しています。

プロだけでなく、一般人ももちろんお買い物ができます。道具類が充実している上、ケーキの飾りやラッピングもフランスらしいかわいさで、料理やお菓子作りが好きな人はぜひ一度足を運んでみてください。

130 / 365

8月8日

胸元でマニフェスト！

蚤の市で年季の入ったブローチをよく目にしますが、いつの時代もフランス人はブローチを上手に取り入れている印象があり、リングやネックレスとはまた違う、その人なりの「おしゃれへのこだわり」をより強く感じるような気がします。２人の女性デザイナーが作る「Macon《マコン》 &《エ》 Lesquoy《レスコワ》」の手刺繍ブローチは、そんなこだわりを持つ人たちが夢中になっているブローチの新定番で、一風変わった、かわいい毒を感じるモチーフがたくさんあります。クロワッサンとハート、コーヒーとタバコなど、いろいろ組み合わせれば、自分だけのストーリーや主張を胸元でさりげなく語れる面白さがあります。機械刺繍のワッペンは、お気に入りの服の穴やシミをおしゃれに隠してくれる優れもので、シンプルなシャツやトートバッグに貼って好きなようにカスタマイズするのも楽しいです。コレクションごとに新しいモチーフが登場し、コレクター心をくすぐります。

9 | août

8月9日

フランスらしい夏の飲み物

夏の暑い日はカフェのテラス席に陣取って、冷たい飲み物を１杯飲むのが、パリジャン・パリジェンヌたちの楽しみのひとつです。いかにも涼しげなグリーンとさっぱりしたミントの風味で、爽やかに喉をうるおしてくれるフランスならではの夏の飲み物が「Menthe à l'eau《マンタロ》」です。「ミント水」というその名の通り、ミントのシロップを冷たい水で薄めたもので、カフェのメニューに必ずある定番。フランス人にとっての夏の風物詩的存在で、鮮やかなグリーンがいかにも着色料…というのはこの際、目をつぶることにしましょう。なお、水の代わりに、甘いソーダ水で薄めたものは「Diabolo menthe《ディアボロマント》」といいます。フランスではミントのほかにも水で薄めて飲むさまざまなシロップが充実していて、「Grenadine《グルナディン》（ざくろ）」や「Fraise《フレーズ》（いちご）」が子どもたちに人気です。ざくろシロップをオランジーナ→ 134/365で割った「Indien《アンディアン》」もカフェでおなじみのカクテルです。

10 | août

132 / 365

8月10日

メロンは庶民派フルーツ

メロンといえば昔も今も、日本ではそんなに気軽には食べられない果物というイメージですが、フランスではその逆で、とても庶民的なフルーツです。旬の夏にはマルシェやスーパーにたくさん並び、1個2ユーロ程度で手軽に買えます。フランスでもっともポピュラーなメロンは「Melon《ムロン》 charentais《シャランテ》」と呼ばれる種類で、広げた手のひらに載るくらいのサイズ。皮は薄い黄緑色で、網目はとても細かく、はっきり浮き立っていません。果肉はオレンジ色で、日本でよく見かけるグリーンの果肉のメロンはフランスでは一般的ではありません。

食べ頃に熟したメロンが手に入ったら、そのまま食べるのもいいけれど、生ハムと合わせて食べたくなります。生ハムの塩気とメロンの甘みのハーモニーがたまらない、夏の前菜の定番です。半分にカットし種を取り除き、真ん中のくぼんだ部分にポートワインを注いで味わうのも、フランスで人気の食べ方です。

11 | août

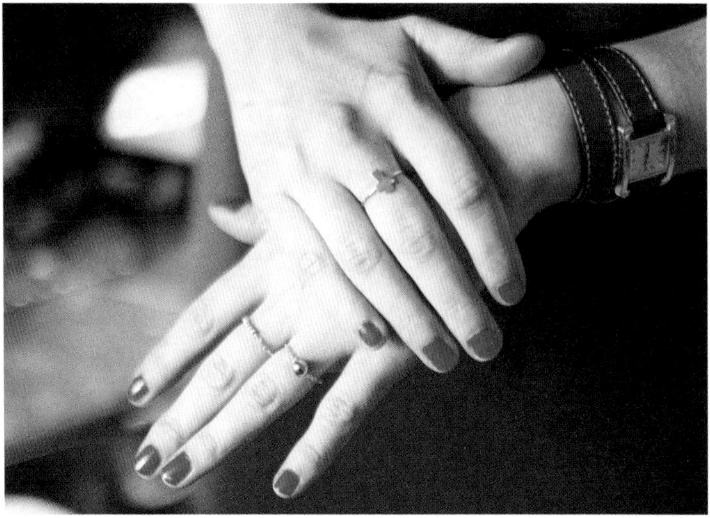

8月11日

永遠の赤リップと赤ネイル

いつの時代も、赤いリップとネイルはずっと変わらないパリジェンヌの定番。ステレオタイプのようですが、何事もシンプル・イズ・ベストを貫く彼女たちの信条が、この赤いリップとネイルに象徴されている気がします。セルフネイルが主流のフランスでは、ジェルネイルや凝ったネイルアートは少数派。TPOに合わせてヌードカラーと赤いマニキュアを塗り分け、服の邪魔をしないさりげないワンカラーこそシックで、色は手が一番美しく見える赤に限る、という揺るぎない美意識があります。ファンデにマスカラを塗っただけの簡単なメイクでも、引くだけで表情がキリッと引き締まる赤いリップは、お守りのような存在。フランス語で口紅を「ルージュ（赤色）」と呼ぶように、顔色に溶け込むベージュやブラウン系よりも、唇を際立たせる赤色こそが口紅の役目と考える人は多いようです。パリジェンヌは自分に似合う赤色を見つけるためなら、決して時間を惜しみません。

12 | août

134 / 365

8月12日

国民的な炭酸飲料といえば

2012年に日本にも上陸した「オランジーナ（Orangina）」。1936年に生まれ、全国で売り出されるようになった1945年以来、フランスの国民的な飲み物として愛されています。オレンジをベースにレモンとマンダリンをミックスした爽やかな味わいが、半世紀以上続く人気の理由。オランジーナといえば、ぷっくりと膨らんだ独特な形のボトルが印象的。330ml入りの缶や500ml、1.5l入りのペットボトルが主流ですが、カフェやレストランでは昔ながらのガラス瓶に入った250ml入りのオランジーナに出会うことができます。果肉が下にたまらないよう、くるっとボトルを上下にひっくり返してから栓を抜きます。スタンダードなオランジーナの他に、カロリー控えめのオランジーナ・ゼロ、ブラッドオレンジを使ったオランジーナ・ルージュもあります。日本とフランスでレシピが異なるそうなので、飲み比べをしてみるのも楽しそうです。

13 | août

135 / 365

8月13日

フランスのビーチ

大西洋と地中海に挟まれたフランスには、数多くの美しいビーチがあります。ニースからカンヌ、サントロペ、マルセイユの先まで続く南仏のコート・ダジュールは、世界からリゾート客が集う「紺碧の海岸」。パリから行きやすい北部のパ・ド・カレやノルマンディ地方のビーチはパリジャンの姿も多く、洗練された雰囲気が漂います。ブルターニュ地方の海岸は大きな岩に荒々しい波がぶつかる自然そのままの魅力があり、スペイン国境のビアリッツ周辺はサーファーのメッカとして人気です。夏に訪れるなら、日帰りや１泊で楽しめる海辺の町への小旅行もぜひ。パリとは違う開放感あふれるフランスを感じられることでしょう。ちなみに、水着は肌の大部分を覆うようなデザインだと、イスラム教徒が着るブルキニのような印象を与えかねません。顔を覆っていない水着であれば違法ではないとされていますが、残念ながら、地域によって違和感を覚える人たちもいるため要注意です。

8月14日

パリの地区：サンジェルマン・デプレ

パリに現存する最古の教会、サンジェルマン・デプレ教会を中心に広がるこの地区は、昔からパリの文化の中心でした。ここに現存する最古のレストラン「ル・プロコープ」では、ロベスピエールやダントンが議論を交わし、フランス革命の思想が育まれました。19世紀末から20世紀にかけては数多くの出版社、そして2つの伝説的なカフェ、「カフェ・ド・フロール」と「レ・ドゥ・マゴ」が誕生し、哲学者や小説家､芸術家たちが多く集まってにぎわうようになりました。中でも第二次世界大戦中から戦後にかけて「カフェ・ド・フロール」の常連だった、サルトルとボーヴォワールのカップルは有名です。

現在は老舗デパートの「ボン･マルシェ」をはじめ､おしゃれなショップが立ち並ぶショッピングのメッカとしても人気で、地元のパリジャンや旅行者で活気あふれる地区です。

15 | août

137 / 365

8月15日

さっぱり系デザートの代表格

りんごやいちご、桃、オレンジなど、旬の果物をサイコロ状に小さくカットして、砂糖や蜂蜜で和えただけのフルーツサラダは、シンプルの極みのようなデザート。手の込んだおいしいデザートは他にもたくさんあるけれど、なぜかビストロの定番として根強い人気を誇ります。前菜、メインと平らげた後に、チョコレートやクリーム系のどっしりとしたデザートはちょっと…という時に、さっぱりとしたフルーツサラダがぴたりとはまります。ごくまれに、缶詰の果物を出すお店もあるため、「Salade《サラドゥ》 de《ドゥ》 fruit《フリュイ》 maison《メゾン》? (シェフの手作り？)」と、確認してから注文する人もいます。

手軽に作れるので、大人数の集まるパーティーのデザートのひとつとしてもおなじみで、レモン汁やミント、ちょっと変わった果物を加えたりと、各家庭ならではの味があるのも楽しいです。

16 | août

138 / 365

8月16日

フランスの海水浴

誰もが思い思いに過ごすフランスのビーチは、ハイシーズンでもさほど混雑せず、のんびりとした空気が漂います。長期滞在している人が多いせいか、水着の上にシャツを羽織り、好きな文庫本を１冊だけ手に持ち、近所を散歩するような気軽さでビーチを訪れます（もちろんサングラス、帽子、日焼け止め、水は必須）。折畳み椅子に座っておしゃべりしたり、元気いっぱい泳いだりするシニア世代もよく目にします。年齢や体型を気にせずにビキニを着たり、肩紐を外して上半身がほぼ丸見えの女性がいるのも、自由でいいなぁと思います。

寝そべっている人々の合間を台車を押して歩くアイスクリーム売りが名物で、学生たちに人気の夏限定アルバイトです。ヘーゼルナッツの飴がけ「シシ」もおなじみのおやつ。道路沿いには飲み物やサンドイッチ、雑誌などを置く売店があり、レストランやホテルのテラス席が設けられた少しリュクスな雰囲気漂うビーチもあります。

17 | août

139 / 365

8月17日

おいしいギンガムチェック、ボンヌ・ママン

職人さんの手作りや個性的な組み合わせ→ 205/365 など、多種多様なコンフィチュールが見つかるフランスですが、多くの家庭の冷蔵庫に普段から並んでいるのは、やっぱりボンヌ・ママンでしょう。近所のスーパーで必ず手に入るというのも理由のひとつですが、奇をてらわない素朴な味わいや幼い頃から慣れ親しんでいる安心感、そしてギンガムチェックのふたと手書き風の筆記体の文字にノスタルジーを感じて、思わず手を伸ばす人も多いのかもしれません。赤いふたの定番シリーズの他に、フランスでしか買えない商品もあります。ふたで色分けされていて、ピンクはハーブや変わった果物を組み合わせたグルメ系。青は「Gelée《ジュレ》」と呼ばれる果汁だけをプルプルに固めたもので、果肉がない分すっきりとした食べ心地。水色はキャラメルペースト、紫は砂糖控えめでフルーツの味が濃厚。緑の大瓶はコンポートで、そのまま食べても、ヨーグルトに混ぜてもおいしいです。

8月18日

パリ観光した気分になれる映画 その1

ストのせいで憧れのメトロに乗れない女の子がパリ中を駆け回る『地下鉄のザジ』は、原作にならいコラージュ的な遊び満載で、パリの有名スポットが大胆に切り貼りされ、凝縮したパリ観光が楽しめます。世界的なブームとなった『アメリ』は、何度見てもモンマルトルの下町情緒を肌に感じられる傑作！ リアルな会話でフランス人の日常をのぞくようなロメール作品の中でも、『パリのランデブー』と『レネットとミラベル四つの冒険』は、パリジャンあるあるが詰まっています。メニルモンタン界隈を舞台に、ほぼセリフなしで描かれる風船と少年の不思議な物語『赤い風船』は、オールタイムベストのひとつ。『恋するシャンソン』『パリところどころ』『愛のうた、パリ』『5時から7時までのクレオ』『猫が行方不明』『PARIS（パリ）』…と挙げ始めたらキリがなく、要するにパリが舞台の映画ならどれでも！ というのが本音です。

19 | août

8月19日

薄さがおいしいタルト・フィーヌ

「タルト・フィーヌ（Tarte fine）」は、直訳すると薄いタルト。うすーく伸ばした生地の上に、りんごやアプリコット、いちじく、ミラベルなど、スライスした旬の果物をきれいに並べ、砂糖を全体に振りかけて焼いた、とってもシンプルなお菓子です。特徴はサブレ生地ではなくパイ生地を使い、タルト型を用いずに焼くこと。だから、型の波打った縁取りはなく、まっ平らな生地の上にフルーツがはみ出るように並べられ、オーブンで焼かれて少しカラメル状になった砂糖が焦げついてるような姿も愛らしいのです。

近所のパン屋さんが作る素朴なタルト・フィーヌは、小麦、バター、砂糖、そして季節の果物のそのままの味わいが楽しめて、見かけるとついつい手が出てしまいます。少し温めてアイスクリームを添えて食べてもおいしいです。

20 | août

142 / 365

8月20日

ベリーを入れるかご風のカートン容器

量り売りが一般的なフランスのマルシェやスーパーでは、多くの野菜や果物がそのままかごに積まれて売られていますが、プチトマトやいちごなどの傷みやすい食材はパック包装されています。フランス語で「バルケット（Barquette）」と呼び、例えばマルシェで買いたい時は「Une《ユヌ》 barquette《バルケット》 de《ドゥ》 fraises《フレーズ》, s' il《スィル》 vous《ヴ》 plaît《プレ》（いちごひとパック下さい）」という風に伝えます。

ブルーベリーやラズベリー、ブラックベリーといったベリー類を入れたバルケットは、薄手のカートン製で両側に小さな持ち手が付いているデザイン。上はフィルムやふたで覆われていないので持ち運びには気を遣いますが、まるで小ぶりの籐かごのようで、小粒のベリーがきちんと整列しているバルケットの姿は本当にかわいらしいものです。

21 | août

143 / 365

8月21日

日曜はどう過ごす？

フランスでは日本と比べて日曜定休のお店が多いので、旅行の期間中に日曜があると「この日はどう使おう？」と考えてしまいますね。朝からマルシェに行ったり、日曜でも開いている所が多い美術館に行ったり、逆に土日しかやっていない蚤の市に出かけたり、公園でのんびりしたり、意外と選択肢はあります。また、ユダヤ教の影響で昔から日曜営業のお店が多いことで知られるマレ地区は、日曜もとてもにぎわっています。パリではここ数年、日曜も営業するお店がぐんと増えて状況が変わってきました。特にギャラリー・ラファイエット、プランタン、ボン・マルシェの三大デパートが日曜営業を始めたのは大きな変化で、今ではショッピングセンターやチェーン店の多くが日曜も営業しています。モノプリなどのスーパーも日曜の午前中は開くようになり、平日働く会社員たちがすべての買い物を土曜に済ませねばならなかった頃に比べると、ずっと便利になりました。

22 | août

144
/
365

8月22日

カフェの籐椅子

軽くて丈夫、太陽光や雨風に強く、年を経ても変形しない籐は、カフェやビストロのテラス席に使う椅子の素材として、古くから重宝されてきました。籐椅子の二大老舗メゾンといえば、1885年創業の「ドリュケール（Drucker）」と1920年創業の「ガッティ（Gatti）」。この名前が刻印されたプレート付きの籐椅子を並べることが、一流の店の証とされるほど。

背もたれと座部に当たる籐編みはカナージュと呼ばれ（現在は耐久性のある化学繊維が用いられています）、菱形やストライプ、市松模様、ヘリンボーンなど伝統的な模様が数多く存在し、今も職人の手で丁寧に編み上げられています。ドリュケールのサイトでは、色を選んで自分好みのカナージュをカスタマイズできるページがあり、注文する予定はないけれどつい夢中になってしまいます。

23 | août

145 / 365

8月23日

チーズ専門店の品ぞろえにびっくり

「フランスでは365日毎日違うチーズが食べられる」とよく言われますが、正確には2年半以上違うチーズが食べられます。そう、フランスには1000もの異なるチーズが存在するのです。カマンベール、ロックフォール、ポン・レヴェックなど村の名前がそのまま付けられたチーズも多く、それぞれの土地に昔から根付いた食べ物であることがよくわかります。その消費量は徐々に減ってきてはいますが→ 318/365、それでもギリシャに次いで世界2位を誇り、フランス人にとって大切な存在です。

それを実感するためにもぜひのぞいてみてほしいのがフロマジュリー（チーズ専門店）。原材料だけでも牛・ヤギ・羊乳、さらにハード、セミハード、ウォッシュ、白カビ、ブルーなどさまざまなタイプに分かれ、まさによりどりみどり。お願いすると少しずつカットして味見もさせてくれるので、自分好みのチーズを探してみましょう。

24 | août

8月24日

be-polesのペーパーバッグ

パリとNYを拠点にするデザインスタジオ「be-poles《ビーポール》」がクリエイトしたペーパーバッグは、「置くだけでサマになる」を体現する雑貨。白地にセリフフォントで書かれた黒い文字が並ぶだけ、というシンプルかつ潔いデザインがオシャレなフランス人の心をつかみ、今では定番雑貨となりつつあります。ポンと置いてもくにゃっと倒れず、思わず見惚れてしまう芯の通った美しい立ち姿。内側はクラフトペーパーで二重になっているので強度もあり、自分の好きなように使えるのが魅力です。私は随分前にパリのコンセプトストア「Merci《メルシー》」で買ったコラボバッグと、さらに大きいサイズのスタンダードなデザインのものを愛用していて、小さい方はデスク横の紙くず入れ、大きい方はとにかく家の中に散らかっているものをガンガン入れて、ホコリをかぶらないように口を折り返して使っています。折りたたんだ状態で売られているので、かさばらないパリみやげとしてもおすすめです。

25 | août

147 / 365

8月25日

右岸派か左岸派か

セーヌ川を基準に、北側を右岸（Rive《リヴ》 droite《ドロワット》）、南側を左岸（Rive《リヴ》 gauche《ゴーシュ》）と呼び、全20区のうち、5、6、7、13、14、15区が左岸で、それ以外が右岸に位置しますが、単に地理的な呼称ではなく、そこに暮らす人々のライフスタイル、さらには人生哲学さえも透かし見えるような含みを持って語られます。ルーヴル美術館やオペラ・ガルニエ、凱旋門、シャンゼリゼ大通り、モンマルトルの丘とサクレ・クール寺院などの観光スポットをはじめ、デパートや高級ブランドが並ぶ右岸は華やかな印象。シテ島とサン・ルイ島も右岸に含まれます。

一方、左岸は、パリを象徴するエッフェル塔、芸術家たちが集ったカフェが残るサンジェルマンやモンパルナス、学生たちでにぎわうカルチエ・ラタンなど、出版社や骨董商も多く、文化の香り漂うシックな雰囲気。どちらも個性と魅力にあふれ、右岸派か左岸派かと熱く語るパリジャンの気持ちがよくわかります。

26 | août

148 / 365

8月26日

不思議な野菜、アーティチョーク

20年以上も前のことですが、フランスの地方の町でホームステイをしていました。その家のマダムは毎晩張り切って料理をして、素朴な家庭料理を体験させてくれたのですが、ある晩の食卓に、分厚い葉っぱがいっぱい付いた大きなつぼみの形をした野菜が出てきたときは驚きました。それまで見たこともなかった謎の野菜、それが、ゆでたアーティチョークでした。つぼみなのは正しいのですが、葉っぱだと思ったものはガクでした。食べ方にまたびっくり。ガクを1枚ずつはがし、根元の白い部分を歯でしごいて食べます。すべてのガクをはがし終わると残る、丸い中心の部分、これが「Cœur《クール》（ハート）」と呼ばれる最もおいしいところ。お芋のようにホクホクしていて、マヨネーズやヴィネグレットを付けて食べたり、ソテーして肉料理の付け合わせに使ったりします。このハートの部分だけを調理した瓶詰や缶詰も一般的で、フランスではとてもポピュラーな野菜です。

27 | août

8月27日

フランスの町の住人の呼び方

　パリジャン、パリジェンヌがパリに暮らす人を指す呼び名であることは日本でもよく知られていると思います。もともとは「パリの」を意味する形容詞で、フランスのどの都市にも、同じように形容詞を使った地元の人たちの呼び方があります。例えば、ボルドーの住民はボルドレ、女性ならボルドレーズ。リヨンはリヨネとリヨネーズ、ニースはニソワとニソワーズで、どちらもサラダの名前になっているのでご存知の人もいるかもしれません。リールはリロワとリロワーズ、マルセイユはマルセイエとマルセイエーズ→ 107/365、ナントはナンテとナンテーズ…と挙げたらキリがありません。他にも、サン・テティエンヌはステファノワとステファノワーズ、ル・マンはマンソーとマンセル、リモージュはリムジョとリムジョード、トゥールはトゥランジョーとトゥランジェルなど、あまり規則性がなく、どの街なのかすぐにわからない呼び名もあり、なかなか複雑で奥深いものです。

28 | août

8月28日

お行儀の良くない言葉たち

話す言葉が変わると人格まで変わってしまう、というのは大げさですが、日本語では普通言わないけれどフランス語だと言えてしまう表現があるのは確かです。ここではフランス人がつく悪態のごく一部を紹介しましょう。どれも性別に関係なく日常的に使われていますが、子供が言うと叱られるくらい、良くない言葉であることに変わりはないので、このページはこっそり読んでくださいね。「Merde《メルドゥ》 !」は日本語で言うところの「クソっ！」、英語で言うところの「Shit《シット》 !」。フランスでは気軽に口にするし、頻繁に耳にします。個人的にこれだけは絶対使うまいと思っているのが「Putain《ピュタン》 !」。意味は「娼婦」ですが、驚くぐらい浸透しています。どちらも怒ったり不満だったりするときに叫ぶ言葉ですが、「しまった！ やっちゃった！」くらいの軽いノリでも使われます。ネイティブではない私たちは、よりニュートラルな「Zut《ズュット》 !」や「Mince《マンス》 !」を使うよう心がけています。

29 | août

151 / 365

8月29日

フランスのだるまさんがころんだは…

フランス版「だるまさんがころんだ」は、ルールはほぼ同じで、鬼1人とそれ以外の子どもに分かれ、鬼は壁や木を陣地とし、他の子はスタート地点（鶏小屋を意味する「Poulailler《プライエ》」と呼ばれています）に並びます。鬼が背を向けて唱えるかけ声は「アン、ドゥ、トロワ、ソレイユ！（1、2、3、太陽)」。「ソレイユ」が「それっ！」の響きに似て、なんだか親近感を覚えます。鬼に動いているところを見つかった子は捕らわれの身にはならず、スタート地点に戻されてしまうというルール。いち早く鬼にタッチした子が勝ちとなり、ご褒美として次の鬼役になれるので、鬼にならないことを目的としている日本版とはその点が違っていて興味深いです。フランス語で鬼役を何と呼ぶのかいろんな人に聞いてみましたが、知らないと返されるばかり。日本でもいろんなローカルルールが存在するので、フランスでもグループや地方によって違うことがあるかもしれません。

30 | août

152
/
365

8月30日

夏の終わりを告げるフルーツ

フランス語に「残暑」という言葉がないのはおそらく偶然ではなく、早ければもう8月の終わりから、何となく涼しい風が吹き始めます。マルシェに並ぶ野菜や果物の顔ぶれも、少しずつ秋らしくなっていきますが、まさに8月の終わりから9月半ばあたりのほんの短い期間だけ食べられるフルーツに、フランス東部のロレーヌ地方で採れるプラムの一種、「Mirabelle《ミラベル》」があります。

少し赤みがかった黄金色の小ぶりの粒に、酸味はほとんど感じられないくらい、とにかく驚くほど甘みが凝縮されていて、少しねっとりとした食感。生でそのまま食べるのはもちろん、タルトやコンフィチュールにしてもおいしい果物です。そのうっとりするような甘酸っぱい香りに惹かれ、はかない旬の味を楽しもうと、ついたくさん買ってしまうのです。

31 | août

153 / 365

8月31日

ボーダーシャツの話

日常着の定番とも言えるボーダーシャツは、もとは海軍がセーラー襟の制服の下に着る肌着という扱いでしたが、「身頃は20ミリの白線21本、10ミリの青線20～21本、袖は白線15本、青線14～15本」という規定とともに、1858年に正式な制服へと昇格しました。厚手で丈夫、丸編みの技術で縫い目の少ないボーダーシャツは、体を動かしやすいこともあって、船乗りや漁師たちにも古くから愛用され、「海洋の」を意味する「Marinière《マリニエール》」という名前で呼ばれています。

日本では、ボーダーシャツやボーダーカットソーと呼んでいた記憶があるのですが、ここ10年ほどで「バスクシャツ」という呼び名が定着しつつあるのが不思議です。バスク地方の漁師たちが着用していたコットン編みの頑丈なカットソーが由来とのことですが、フランスではこの名称は一切使われていません。バスク生地と聞くと、カラフルな縦縞模様の織物を思い浮かべる人がほとんどです。

1 | septembre

154
/
365

9月1日

セップ茸が告げる秋の訪れ

秋といえばきのこ。フランスにはさまざまな種類のきのこがありますが、先陣を切って8月の終わりからマルシェに姿を現すのが「Cèpe《セップ》」。日本でも知られているイタリアのポルチーニと同じきのこです。独特の良い香りに加えてうまみも濃く、歯ごたえも良い、まさにきのこの王様的存在。大きめの丸い傘に、ぽってり太い軸が付いていて、全体的につるんとしたかわいらしい形をしています。

軸まですべて食べられますが、端の固い部分や土をナイフで削ぎ落とします。専用のブラシや湿らせたタオルで優しくお掃除するのが理想ですが、急いでいるときは流水でさっと洗います。後はせっかくの歯ごたえを楽しめるよう大きめに切って、シンプルにオリーブオイルで強火でソテーして塩コショウ。とりわけ肉料理にぴったりな、最高においしい付け合わせの出来上がりです。

2 | septembre

155 / 365

9月2日

9月が新年度の始まり

7月初めから8月末までの長い夏休みを終えて、すっかり日焼けした子どもたちにとって、9月は心機一転、新入学・新学年の月。9月最初の月曜日から学校が始まります。この時期のことを「Rentrée《ラントレ》」と呼ぶのですが、「帰る」という意味の動詞「Rentrer《ラントレ》」から生まれた、まさに子どもたちが学校に戻ってくるというイメージ通りの言葉です。8月も半ばになると、この「Rentrée」に向けて、スーパーに多種多様な文房具とカルターブル（横長のランドセル）が並び始めます。事前に学校から配られる、新学年に必要な文房具のリストを手に買い物をする親子でスーパーがごった返すのも、毎年恒例の光景です。フランスの学校では入学式のようなセレモニーが一切ないので、新学年の初日もあっけなく通常モード。それでも、まだ小さい体に大きなピカピカのカルターブルを背負って歩く小学1年生たちの姿は、日本と同じようにほほ笑ましいものがあります。

3 | septembre

156 / 365

9月3日

フランスの学校の仕組み

フランスの学校制度には、年度が9月始まりである以外にも日本と違う点があります。例えば小学校は5年制、中学は4年制、高校は3年制です。学年の呼び方がややこしいので覚えにくいのが難点。小1がCP《セペ》、小2はCE1《セウアン》、小3はCE2《セウドゥ》、小4はCM1《セエムアン》、小5はCM2《セエムドゥ》、中1は6ème《スィズィエム》、中2は5ème《サンキエム》、中3は4ème《キャトリエム》、中4は3ème《トロワズィエム》、高1は2nd《スゴンド》、高2は1ère《プルミエール》、高3はTerminale《テルミナル》と呼びます。

中学校（15歳）までが義務教育なのは日本と同じですが、フランスでは2019年から幼稚園教育も義務になりました。年少はPetite《プティット》 section《セクション》、年中はMoyenne section《モワイエンヌ セクション》、年長はGrande section《グランド セクション》と呼びます。

フランスの学校は公立が多いのも特徴で、私立の割合は17%ほど。私立の学校はその大半がカトリック系です。

4 | septembre

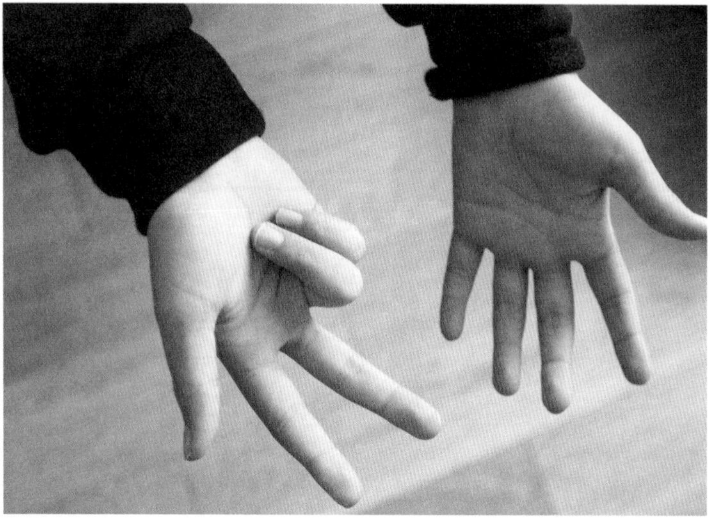

157 / 365

9月4日

フランス人が数えるときは

フランス人が指を使って数える場合、一旦手をグーに握って、親指から人差し指へと順々に指を伸ばしていきます。6以上数えるときは、5まで数えてパーの形に開いた手はそのままに、もう片方の手をグーに結んで、さっきと同じように親指から小指への順番で1本ずつ伸ばしていくのですが、10数えるのに両手を使うのは大変だなぁと見るたびに思ってしまいます。それに、この方法は指の関節がやわらかくないと難しく、中指を伸ばすのですら苦労しますが、4を数えるときに薬指を真っ直ぐ立てることは至難のワザ！ どれだけ訓練しても、私はいまだにこの4の指ができません。

指折り数える日本式はとても楽だし、6より大きな数字も片手で事足りるのだから便利だとフランス人に説明したら、手の形が1と9、2と8、3と7、4と6の時で同じになるから見分けがつかずややこしいね、と一蹴されました…。

5 | septembre

158
/
365

9月5日

いまだに廃れない絵葉書の習慣

フランスのみやげ物店の軒先に並ぶ、背の高い什器に陳列されたカラフルな絵葉書たち。日光と雨にさらされて、曲がって白茶けているようなものがあったり、30年以上も前に撮られたような古めかしい風景写真がコラージュされていたりと、インターネット全盛の時代に、そこだけ時が止まったかのような趣があります。

とはいえ、フランス人にとって絵葉書は決して過去の存在ではなく、たとえ国内旅行でも、それぞれの土地で絵葉書を求め、家族や友人に送る習慣が今も根強く残っています。切手が貼られ、時間をかけて郵便受けに届く絵葉書には、リアルタイムで写真が見られるメールやSNSとはまた違った、旅先の空気感が伝わるような良さがあります。数年前、日本のとある観光地を訪れ、町の風景の絵葉書を探すのにとても苦労しました。日本では需要が少なくなってきているのかもしれません。

6 | septembre

159 / 365

9月6日

パリのファッションウィーク

世界中のファッショニスタが一堂に会するファッションウィークのパリは、華やかさが増し、独特なエネルギーに包まれます。年6回の開催で、秋冬は1月中旬にメンズ、2月末～3月頭がウィメンズ、7月頭がオートクチュール。春夏は1月末にオートクチュール、6月末にメンズ、9月末～10月頭にウィメンズ。トップメゾンから新進気鋭のデザイナーまでが行うデフィレ（ショー）は、モード関係者や俳優、ブロガーなどが招待されるファッションウィークの花形ですが、その陰で、普段私たちがお店で見かけるブランドが集う展示会とショールームも、この時期パリのあちこちで開催されています。世界各地から買い付けに訪れるバイヤーは、新たな売れ筋を見つけるべく連日複数の会場を足早に回っては、商談を繰り返すのみ。パリで買い付けなんておしゃれ、と憧れますが、直感と経験、先見性、体力、そして洋服への純粋な情熱がなければ務まらない、過酷な職業だと思います。

7 | septembre

160 / 365

9月7日

それでもやっぱり日焼けが好き

フランスでは「夏のバカンスはやっぱり海がいい」という人が多いからなのか→ 336/365、9月になってみんなが休暇から戻ってくると、街に日焼けした人がぐっと多くなります。日本では、特に女性には紫外線は「美容の敵」と恐れられ、いかにして日焼けを防ぐかが日常的な悩みの種ですが、所変わってフランスでは、小麦色に焼けた肌こそが、楽しいバカンスを過ごしてきたことを証明するステータス。シワやシミを気にする人はあまりいません。夏の晴れた日になれば、パリでも水着姿で寝そべって日焼けする人たちがセーヌ川沿いや公園にまであふれます。

ここ数年､皮膚がんのリスクについて警鐘が鳴らされるようになり、シミを薄くするコスメなども出てきて、日焼けに対する考え方が少し変わってきた感はありますが、まだまだそれでもみんな日焼けが好きなのです。

8 | septembre

9月8日

お掃除で街の一日が始まる

パリの朝は街の掃除で一日が始まります。緑のユニフォームに蛍光イエローのベストを着た清掃員さんたちは、ほうきで掃除したりゴミ箱の袋を替えたり、大忙し。パリを歩いていて、雨でもないのに道が濡れているときがありますが、それは掃除に水が使われているからです。道路と歩道の段差の部分に給水口があり、清掃員は必要に応じてそのふたを開け、水を流します。この給水口、なんとパリ市内に1万3000個も配置されているとか。水の流れによって、タバコの吸殻や紙くずなどの細かいゴミを1カ所に集めてから、効率よく取り除きます。掃除に使われているのは、パリの北東を流れるウルク運河やセーヌ川の水を浄化処理した非飲料水で、掃除で汚れた水はこれまた段差の部分にある排水溝から下水に流れ、再び浄化処理されてから川や運河に戻されます。つまり、水を無駄にすることなく、うまく循環利用しているのです。ちなみに写真はナント市のゴミ収集の様子です。

9 | septembre

162 / 365

9月9日

大人気、日本の漫画

昔はパリを中心に、日本の商品を扱う専門店でしか買えなかった漫画本も、2010年頃から急速に普及し、今では地方の本屋さんにも「MANGA」コーナーがあるほどおなじみの存在となりました。知名度の高いものはすぐに翻訳され、日本の発売から大した時差もなく店頭に並びます。読まれているジャンルも幅広く、「SHONEN、SHOJO」とそのまま日本語名で呼ばれています。日常を描いたエッセイ漫画も人気。かつては欄外に解説のあった、おにぎりやたこ焼きなどの料理名もすっかり浸透し、日本独特の右綴じや小さな単行本サイズに抵抗を感じる人も少なくなりました。「ドラゴンボール」や「NARUTO」、「ワンピース」あたりは、漫画に詳しくない人でも名前を知っている人気作品です。漫画を通して日本を知ってもらえるのは本当にうれしく、若い世代のフランス人の方が、私よりも最近の漫画を知っているという逆転現象ですら、喜ばしく感じます。

10 | septembre

163 / 365

9月10日

ゴッホが暮らした小さな村

1890年5月、ゴッホはガシェ医師を頼ってオヴェール・シュル・オワーズにやって来ます。それから麦畑で拳銃自殺を図る7月末までの70日間、彼はオヴェールの町、人、自然を描き続け、70を超える作品が生まれました。ゴッホが暮らした部屋はもちろん、教会や市役所、麦畑など彼が描いた実際の風景が目の前に広がり、ゴッホの絵画を愛する人なら一度は訪れてほしい場所です。村の墓地にはゴッホとその弟テオのお墓が並んでいます。街を見下ろすように高台に建てられた17世紀のお城、オヴェール城では、「印象派のヴィジョン」というイマーシブな展示で、印象派絵画の世界に文字通り没入できます。ピサロやセザンヌも暮らし、印象派の発展に貢献したオヴェールならではのスポットです。毎年3月末から10月末までの土曜・日曜・祝日には、パリ北駅〜オヴェール間を直通の特別電車が運行し、40分ほどで行けるので便利です。

164 / 365

9月11日

パリのストリートアート巡り

芸術の都パリはさまざまな形態の芸術に寛容です。それを象徴するのが、ポンピドゥー・センターのすぐ隣にあるストラヴィンスキー広場。中央にジャン・ティンゲリーとニキ・ド・サンファルが手がけたカラフルな彫像のある大きな噴水があり、東側の大きな壁には代表的なストリートアーティスト３人の巨大な作品があります。向かって左はジェフ・アエロゾル、真ん中はシェパード・フェアリー、そして右はインベーダーによるモザイクで、３つともパリ４区とパリ市の肝入りで実現しました。同様に、パリ13区もストリートアートを推進していて、メトロ６番線のナショナル駅やシュヴァルレ駅周辺に大きな壁画があります。インベーダーは、世界中の都市の壁にモザイク作品を貼り付けるフランス人アーティスト。パリと近郊だけでも1200を超える作品があり、作品を見つけると貯まるポイントで競い合うアプリ「Flashinvaders《フラッシュインベーダーズ》」は世界中に多くのファンがいます。

12 | septembre

165 / 365

9月12日

いろんなパリジャンの顔 その1

一概にパリジャンと言ってもさまざまな背景を持つ人々がいますが、特徴的なので名前が付いている場合があります。例えば「Bobo《ボボ》」。安定を重視しない気楽な「Bohème《ボエム》（ボヘミアン）」的生き方と、そういう生活を可能にする「Bourgeois《ブルジョワ》」的な裕福さの両方を兼ね備えている人々を指します。堅苦しい服装や礼儀は好まず、エコロジーに敏感で、食べるものはもちろんビオ。社会的な弱者を助けねばと言いながらも、自分たちは何不自由ない暮らしを送っています。「庶民的な雰囲気」を求めた彼らが10、11、19、20区などに移り住むことで地価が上がり、本物の庶民には手が出なくなっていきます。ちょっと皮肉っぽい解説をしてみましたが、単純に「裕福でおしゃれな人々」という意味で使われることも多いです。バスティーユやサン・マルタン運河界隈のカフェに週末行ってみると、そんな「Bobo」なファミリーがランチやお茶をしているところによく出くわします。

13 | septembre

166 / 365

9月13日

シードルはボルで飲む

ワインはワイングラス、シャンパンはシャンパングラスで飲むように、りんごの発泡酒シードルも「ボル（Bol）」と呼ばれる専用のカップで飲むのが昔からの習わし。ぽってりとした厚手の陶器で、小さなお茶碗のようだったり、コーヒーカップのように持ち手がついていたりするものもあります。クレープリーでは「ボル１杯のシードル」と注文するのがお決まり。

古くから、りんご酒は家庭で作れる身近なお酒だったため、大きな樽から直接カップですくって飲んでいた、というのが諸説ある由来のひとつ。特に田舎では、当時贅沢品だったガラス製のグラスを使う家はなく、土をこねて焼いたお手製の器を使っていたところから、シードルにはボルという組み合わせができたと言われています。そのせいか、素朴な風合いのボルほど、シードルがおいしく感じられるような気がします。

14 | septembre

167 / 365

9月14日

フランス定番の文房具

新学期が始まるこの頃→155/365は、文房具マニアがワクワクする季節。スーパーには、学生向けのステーショナリーがずらりとそろい、用がなくてもパトロール気分で眺めに行ってしまいます。フランス文房具界を代表する「ビック（BIC）」と「ロディア（RHODIA）」は、世界中で愛されている老舗メーカー。ビックは1950年代に世界で初めて使い切りボールペンを発明した会社で、フランス語でボールペンのことを「BIC《ビック》」と呼ぶほど筆記具の代名詞的存在になっています。ロディアは1932年からペーパープロダクトを作り続け、オレンジ色の表紙に黒字のロゴでおなじみのブロックメモがロングセラー商品です。どちらもシンプルなデザインなのですが、形や色合いがどことなくかわいらしく、持っていると気分が上がるので、ノック式の４色ボールペンとロディアのポケット版メモ帳を、私はいつもカバンに忍ばせています。プチプラで見つかるフランスみやげとしていかが？

15 | septembre

168
/
365

9月15日

パリから車がいなくなる日

2014年からパリ市長を務めるアンヌ・イダルゴは、ディーゼル車規制や自転車専用レーンの整備など、大気汚染対策に積極的。国連気候変動パリ会議（COP21）が開催された2015年からは、毎年9月の第3日曜日に「カーフリーデー」を実施しています。

最初は5エリアだけでしたが、徐々に拡大されていき、2017年以降はパリ市の周囲を取り囲む環状道路とブローニュの森、ヴァンセンヌの森を除く、パリ市内ほぼ全域が対象となっています。

11時から18時まで、バスやタクシー、緊急車両以外の車は一切走らないので、歩行者や自転車、キックボードに乗る人が大手を振って道路のど真ん中に行ける特別な一日。コンコルド広場やオペラ座前の広場など、普段なら車のせいで自由に通れない場所を歩いたり、撮れないアングルの写真を撮ったり、パリ中で歩行者天国を満喫することができます。

16 | septembre

169 / 365

9月16日

メトロとタクシーのドアは手動で

パリのメトロのドアは、多くが手動式。一番古いタイプは「Loquet《ロケ》」と呼ばれるレバー式で、ホームに到着するとロックが解除され、降りたい人が下から上に向けて持ち上げます。これが案外、力を使います。車両によってボタン式もあり、電車が止まったタイミングで押せばOK。混雑していて手が届かない場合、「La《ラ》 porte《ポルト》, s'il《スィル》 vous《ヴ》 plaît《プレ》！（ドアお願いします）」と大きな声で伝えなければ、開けてもらえず降りそびれるなんていう不運も。逆に、気を利かせて扉を開けたにもかかわらず、誰も降りないなんてこともありますが…。また、少しずつ運転の全自動化が進められていて、ドアが自動で開く車両も登場しました。ホームドアの設置も始まっていますが、今のところは全14路線のうち1番線と14番線の全駅、4番線の一部の駅のみです。タクシーのドアも同じく客が手で開け閉めします。日本式に慣れているとうっかり閉め忘れがちなので、注意しましょう。

17 | septembre

170
/
365

9月17日

大統領の住まいにお邪魔できる週末

毎年9月第3週の週末2日間は「Journées《ジュルネ》 Européennes《ユーロペエンヌ》 du《デュ》 Patrimoine《パトリモワンヌ》（ヨーロッパ文化遺産の日）」。全国に存在する歴史的建造物を国民に再発見してもらいたいと、1984年にフランスで始まり、現在ではヨーロッパ50カ国で開催されています。モニュメント、教会、劇場、城、裁判所、県庁、市役所、個人所有の邸宅など、フランスだけでも1万7000ものスポットが公開され、1200万人を動員する一大イベントです。普段なら非公開の施設もこの週末だけは見学が可能になります。パリでは下院や国民議会の議事堂、大統領官邸が人気。大統領の執務室や内閣の会議室、来賓と接見する部屋、晩餐会の間など、絢爛豪華なその内部、そして美しい庭園を一度は見たいという人々が、朝から長い行列を作ります。ルーヴル、オルセー、オランジュリーの三大美術館をはじめ、通常なら入場料が必要な施設もこの期間中は無料または割引になります。

18 | septembre

171 / 365

9月18日

甘くて酸っぱいタルト・オ・シトロン

　さっぱりしたレモンの味が好きな人に強くおすすめしたいのが、タルト・オ・シトロン、つまりレモンタルトです。フランスではケーキの専門店はもちろん、庶民的なパン屋さんでも必ず見つかる、とても一般的なケーキです。パート・シュクレと呼ばれるタルト生地の上に、レモン果汁と砂糖、バター、卵で作ったなめらかなレモンクリームを流し込み、冷蔵庫で冷やし固めたもので、酸味と甘味のバランスがポイントです。さらにその上にメレンゲをのせて焼き色を付けたものは、タルト・オ・シトロン・ムランゲと呼びます。バターがたっぷり入った生地のサクサクした歯ざわりと、レモンクリームの酸味、それを和らげるメレンゲの甘みが一体となって、なんとも言えないおいしさが口に広がります。 シンプルなだけに、お店それぞれの特徴が表れるタルトです。

19 | septembre

9月19日

永遠の定番、マリニエール

マリニエールで知られる専業メーカーはいくつかありますが、本国でも代名詞的存在として高い知名度を誇るのが、1889年創業の老舗「Saint《セント》 James《ジェームス》」でしょう。フランスでは「サン・ジャム」と発音します。街着としても定着していますが、海辺やバカンス先でより多く見かけるのは、昔からの習慣が残っているからかもしれません→153/365。何の変哲もない横縞とはいえ、線の太さや間隔、色、袖丈、生地の厚み、ネックの開き具合などで表情を変えるマリニエールは、つい何着も集めてしまいます。クラシックなココ・シャネル、体にフィットするブリジット・バルドー、メンズライクなシャルロット・ゲンズブール、首まわりの形がきれいなジーン・セバーグなど、フレンチ・アイコンたちの着こなしを参考にしてみるのも楽しいです。帽子をかぶったり、合わせるボトムを工夫してみたり、オーバーサイズを着崩してみたりと、本当に飽きのこない定番です。

9月20日

アクセントが退化しつつあるフランス語

フランス語には、アクサン・テギュ（é)、アクサン・グラーヴ（è, à, ù)、アクサン・シルコンフレックス（â, ê, î, ô, û)、セディーユ（ç）の4種類のアクセント記号があり、母音や子音の発音を示す役割を担います。1990年にアカデミー・フランセーズ→359/365が手掛けた「綴り改革」により、「iとuのアクサン・シルコンフレックスは義務ではない（例外を除く)」とされ、「Août《ウット》（8月）→ Aout」「Boîte《ボワット》（箱）→ Boite」といった綴りが正式に認められました。他にも、「Porte-monnaie《ポルトモネ》（小銭入れ)」におけるハイフンの削除、「Oignon《オニオン》（玉ねぎ）→ Ognon」「Nénuphar《ネニュファー》（睡蓮）→ Nénufar」などの直感的に発音と綴りに隔たりがあると感じられる単語にも改変がなされました。綴りに一貫性を持たせ、学習を容易にすることを目的とした改革でしたが、一般に浸透しているとは言い難く、世代によって正しい綴りの認識が異なるという点が問われています。

174
/
365

9月21日

トマトファルシー

ファルシーは肉詰めを意味し、詰めるタネはファルスと言います。どんな野菜でも良いですが定番はトマト。ファルシー用挽肉を使うのが一般的ですが、日本で再現する場合は、牛と豚の合い挽き肉に好みの香草を刻んで混ぜればOK。おなじみの付け合わせはごはんです。

［材料］4人分
トマト：8個　合い挽き肉：500g　玉ねぎ：1個　卵：1個
パセリなどの香草：適宜　オリーブオイル：適宜　塩・コショウ：適宜　米：200g

［作り方］

1. トマトはヘタを取り除き、上部をカットして取っておく。中身をきれいにくり抜き、内側に軽く塩をして、逆さまにして水分を出す（果肉は他の料理に使う）。
2. 玉ねぎ、香草をみじん切りにして、肉、卵とよく混ぜ合わせ、塩コショウをして、まとまったらトマトの中に詰める。1で切り取った上の部分でふたをする。
3. オーブン皿に米を敷き、大さじ2程度の水（分量外）をかける。その上にトマトを並べ、オリーブオイルを回しかける。
4. 180℃に温めたオーブンで40分焼く。途中、米が乾いているようなら水を追加。

22 | septembre

175 / 365

9月22日

フランス語になった日本語

ニンジャ、サムライ、ジュードー、スモー、テンプラ、カラオケなど、フランスで日々耳にする日本語は、この他にもたくさんあります。

◆Animé：語源は英語ですが、日本の文化としてフランスでも愛されています。

◆Dojo：単なる練習場ではない、精神的なリスペクトを感じます。

◆Ramen、Miso、Yuzu、Matcha、Tofu：柚子や抹茶はスイーツのフレーバーとしても人気。味噌は「ミゾ」と発音します。

◆Umami：日本独特のこの概念を知らないシェフ、料理愛好家は今やいません。

◆Surimi：カニカマのこと。どんなスーパーにもあり、驚くほどの浸透率。

◆Kawaii：日本を象徴するような言葉。「カワーイ」と発音する人が多いです。

◆Kamikaze：カミカーズと発音。フランスでは転じて自爆テロを指すので複雑な心境。

◆Kakémono：展示会などで社名や広告を大きく印刷した掛け軸のようなバナーサインのことを、なぜかフランスでは「カケモノ」と呼びます。

◆Zen：心が平穏である状態や性格、ミニマルなスタイルのことも意味します。

9月23日

いろんなパリジャンの顔 その2

特徴的なパリジャンを表す言葉のお話→ 165/365 の続きです。例えば「BCBG《ベセベジェ》」は「Bon chic bon genre《ボン シック ボン ジャンル》」の頭文字をとった略語です。「Chic」は「おしゃれな、シックな」という意味。「種類、タイプ」という意味の「Genre」に「Bon（良い）」を付けた「Bon genre」は「上品な」という意味になります。つまり「BCBG」とは、「クラシックでエレガントで育ちが良さそうに見える」ことを指します。トラッドな服装、お嬢様っぽい雰囲気…そこには「貴族的な」とか「ブルジョワ的な」というニュアンスも含まれ、「憧れ」半分、「やっかみ」半分で使われることも多いです。ぴったりくる訳が思いつかず、日本語で話していてもついつい「BCBG な感じだよね」とそのまま使ってしまいます。強いて言えば「いいとこの」という感じでしょうか。8区や 16 区、17 区など、パリの西側に住んでいるイメージがあります。

24 | septembre

177 / 365

9月24日

流行について

フランスでは、テレビで紹介されたコスメやバッグが瞬く間に売り切れたり、初上陸した注目店のスイーツを買おうと行列が出来たりといった、爆発的なブームは起こりません。「人のまねはつまらない」とか「波に乗り遅れても気にしない」と思う人が多数派なのか、たとえ話題になっていても、フランス人が一気に同じ場所に押し寄せたり、同じ物を買ったりすることは不思議とありません。

もちろん、その時代ごとに流行はありますが、ファッションにせよ食文化にせよ、その流れは実にゆるやか。ブームという言葉に惑わされないフランス人のお眼鏡に叶った本当に良いものだけが、時間をかけてパリから地方まで、少しずつ増えていくという印象です。そのためか、一度流行したものは廃れるまでのスパンが長く、そのまま廃れずに定着して、その後も長く愛され続けるものも多いです。

25 | septembre

178
/
365

9月25日

おいしい魚の缶詰がたくさん

お酒が好きな人や甘党ではない人へのばらまきみやげとして重宝する、魚の缶詰。肉食のイメージが強いフランスですが、おいしくて新鮮な魚が捕れ、オイル漬けやマリネといった伝統的な製法の缶詰も多くあります。塩辛さがクセになるアンチョビやオイルサーディン、白ワインやレモン、ハーブ、マスタードなどでマリネしたサバの切り身は、どんなスーパーでも見つかる定番。グリルしただけのシンプルなマグロは、オニオンスライスに醤油を足らして和食としても楽しめます。ムール貝のむき身をガーリックソースでマリネした缶詰もフランスらしい味わいです。1932年にブルターニュ地方で創業し、パリに4店舗構える「ラ・ベルイロワーズ（La Belle-Iloise）」は、特におすすめしたい魚介の缶詰のエキスパート。上質な素材はもちろん、昔ながらのレトロな絵柄もかわいらしく、おみやげにぴったりです。オマール海老の缶入りスープは絶品！

26 | septembre

9月26日

フランス人とストライキ

バカンスを大切にする→ 33/365 一方、「労働は必要悪」「いつもストライキばかりしている」など、仕事とはどうも相容れないイメージがフランスにはあります。確かにフランスのストライキは、メトロの本数が大幅に減ったり、TGV《テジェヴェ》や飛行機が運行しなかったり、しかもそれが数週間〜数カ月にわたることもある本気モード。特に都市部では通勤･通学に大きな影響が出て、生活に直接支障をきたします。日々の不便さに愚痴を言う人は増えますが、ストライキ自体について疑問を呈する人は意外なほど少なく、労働者の権利を守る意識が徹底しているなあと、ある意味感心します。一方、定期的に大規模なストライキができるのは、鉄道や航空、教職員など、一部の公務員や強力な労働組合に支えられている人たちのみなのも現実。多くの人が、なんとかやりがいを見出し、日々働いている…そういう意味では、フランスの働く人の風景は日本のそれと何ら変わるところはありません。

27 | septembre

180
/
365

9月27日

すれ違うといい香り

フランスは上質な香水を生産する国で、有名なグラース→ 24/365をはじめ、南仏では香水用の花やハーブが昔から生産されています。早ければ高校生ぐらいから使い始める人もいるくらい、香水もファッションと同じように自分の個性を主張する方法のひとつと言えます。

パリの街を歩いていても、人とすれ違ったときに香水の香りが漂う確率は日本よりずっと高いです。実際、ある調査では85%の人が香水を使うと答え、うち40%の人は毎日使うと答えています。男女を問わず、プレゼントに香水を選ぶ人も多く、バレンタインデーや母の日、父の日、クリスマスの時期になると、デパートやコスメショップの香水売場が一気に盛り上がります。

2019年の女性向け香水の売上トップ3は、シャネルのN°5、ゲランのシャリマー、イヴ・サンローランのオピウム。どれも息の長い人気を誇る、フランスらしい濃厚な香りです。

9月28日

素材を楽しむ、クレープ・ナチュール

80年代に子ども時代を過ごした私にとって、クレープとは、ホイップクリームにいちごやバナナを飾り、チョコレートソースをかけてくるくる巻いた、キラキラ輝くおしゃれな存在でした。だから、フランスで初めて素朴なクレープ・ナチュールを見たときは驚きました。何も加えず、何も巻かず、そのまま食べる素うどんならぬ、素クレープは、ほんのり甘く、バターと小麦粉の良い香りが口の中に広がる優しいおいしさ。ほんのりと焼き色のついた生地は、パリッではなく、へなりとした食感がたまりません。本場のクレープは、素材の味そのものを楽しむお菓子だったのだと知りました。パン屋さんには、山のように幾重にも積まれた焼いただけのクレープが売られていて、子どもたちのおやつとしても人気。その場で砂糖を振りかけてもらうこともできます。クレープ屋さんでは、バター&シュガー、好みのジャム、ヘーゼルナッツペーストを塗ったものも定番です。

29 | septembre

182
/
365

9月29日

パリ生まれの蜂蜜たち

花粉を運んで農作物が実を付けることを助けてくれるミツバチが、農薬や殺虫剤などが原因で世界的に減少しており、将来的には食糧難を引き起こす恐れもあると言われています。南仏やシャンパーニュ地方、ピレネー地方など、フランスの有名な蜂蜜の産地でもその心配がある一方で、パリが今、ミツバチにとってのパラダイスになっています。都会の公園やベランダでは多種多様な花がほぼ年中咲いていて、しかも農薬や殺虫剤がほとんど使われていないからです。

19世紀半ばに作られたリュクサンブール公園の養蜂場は別格として、20年ほど前にオペラ・ガルニエの屋根の上に養蜂箱が設置されて以来、オルセー美術館、アンヴァリッド、はたまたデパートのプランタンやギャラリー・ラファイエットなど、パリのさまざまなスポットの屋上に巣箱があり、毎年蜂蜜が採取されています。そんな貴重なパリ生まれの蜂蜜は、オスマン通りの二大デパートの食品館で見つかります。

30 | septembre

183 / 365

9月30日

面白い通りの名前 その1

パリの通りにはそれぞれの背景があり、通りの名前からも、そこに住んでいた人や存在していたお店、その界隈に残る言い伝えなど、歴史の片鱗に触れることができます。

◆Rue《リュ》 des《デ》 Bons Enfants《ボンザンファン》《良い子たちの通り》パリ1区

13人の貧しい学生のために13世紀初頭に開かれた大学の名前。カトリック教徒だった学生たちが托鉢でお布施をもらう際に唱えた言葉から付けられました。

◆Rue《リュ》 des《デ》 Mauvais《モヴェ》 Garçons《ギャルソン》《悪い男通り》パリ4区

中世からマレに存在するこの通りは、泥棒や不良が多く住んでいたことから16世紀にこう名付けられました。シャンソンの「ろくでなし」の原題も同じ名前。

◆Rue《リュ》 du《デュ》 Chat《シャ》 qui《キ》 Pêche《ペッシュ》《魚を釣る猫の通り》パリ5区

15世紀、錬金術師の司祭と黒猫がここに住んでいました。その猫が非常に素早くセーヌ川の魚をつかまえることを「悪魔の仕業だ」と怪しんだ3人の学生が黒猫を殺し、川に捨てると、司祭も消えてしまった……という伝説があります。

1 | octobre

184 / 365

© Jean-Pierre Delagarde

10月1日

古き良きモンマルトルの面影を残す美術館

サクレ・クール寺院の裏手、一軒家が立ち並ぶ石畳の坂道にあるモンマルトル美術館は17世紀に建てられた建物で、かつてユトリロとその母で画家でもあったスザンヌ・ヴァラドンが14年間暮らしていた家。彼らの前にはあのルノワールやデュフィも住んでいたという、画家たちにゆかりの深いこの邸宅の中には、ユトリロやロートレックの絵画をはじめ、すぐ近くに現存するシャンソニエ「ラパン・アジル→19/365」や当時のキャバレーのポスターなど、20世紀初頭の古き良き時代のモンマルトルの空気を感じられる作品が展示されています。大きなガラス窓から明るい日差しが入る最上階には、ヴァラドンの部屋とアトリエが再現されています。そしてルノワールがこの場所で描いた名作をイメージしたという庭園からは、すぐお隣のぶどう畑を見下ろせます。まだ田舎の村だった19世紀半ばのモンマルトルを思わせる、のどかな雰囲気です。

2 | octobre

185 / 365

10月2日

フランス人と車

ルノーなど主要メーカーが生き残る自動車大国フランス。公共交通機関が発達したパリでもまだ車社会で、地方ではなおさら車は必要不可欠です。路上駐車が可能な道路が多いので、都市部では縦列駐車は必須スキル。前後の車に接触しながら駐車するのはよくある光景で、路駐車が多少傷つくのは仕方がないと諦めの境地なのは、中古車に乗る人が多いことと関係があるかもしれません。2016年には、大気汚染対策で「Crit’air《クリテール》」というステッカーが登場。電気自動車は緑色、ハイブリッドや2011年以降のガソリン車は紫色の番号1など、汚染度をステッカーの色と番号で区別します。2017年からはパリやリヨンなどの大都市で義務化され、パリでは2000年までのディーゼル車（灰色の番号5）や、ステッカーすらもらえない1996年以前の車は通行禁止に。驚くほど古い車が現役で走るのを少し前まではよく見かけたものですが、そんな風景もここ数年で変わりつつあります。

3 | octobre

186 / 365

10月3日

蚤の市とアンティーク

フランス人は骨董品が大好き。立派な芸術品だけでなく、日用品や家具、本、服など、蚤の市や骨董店で偶然見つけた品物をまるで運命の出会いのように喜び、いそいそと自宅へ連れ帰ります。歴史的価値どうこうではなく、一目惚れしたその品を、かつての持ち主の愛情を受け継ぐかのように日々大切に使い続けるのが、アンティークに対するフランス人の付き合い方。人々の手をわたって自分までたどり着いた骨董品に、特別な物語を感じる人も多いでしょう。パリで骨董品を本気で探すなら、最大規模のクリニャンクールの蚤の市は外せません。屋内外合わせて15ものマルシェが広範囲に点在しているので、しっかり見て回るなら一日仕事ですが、美しい芸術品から使い古した日用品まで、あらゆる骨董品が勢ぞろいする景色は圧巻です。パリ南側のヴァンヴの蚤の市は、２時間ほどで巡るのにちょうど良い大きさで、状態の良いものが見つかりやすいため初心者さんにもおすすめです。

4 | octobre

187 / 365

10月4日

ドライフルーツのおいしさ

フランスに暮らすようになってから、ドライフルーツを口にする機会が増えました。どんな小さなスーパーにもドライフルーツが置かれ、マルシェではたくさんの種類をそろえる屋台もあり、とても身近な存在です。アプリコット、いちじく、プルーン、クランベリー、なつめやし、ナッツ類の入ったミックスあたりが定番。

そのまま食べて素朴な味を楽しむのもよいのですが、私が特に好きなのは、アプリコットやクランベリー、イチジクを細かく刻んで全粒粉のパンに練り込んだものや、ヤギのフレッシュチーズにまぶしたもの！ 白ワインで漬けたレーズンチョコもおいしい。

チキンと干しプルーンのタジン鍋もモロッコ料理ではありますが、フランスで愛される一品。煮込みやケーキに使う時は種入りの方がより味わいが深くなるので、あえて種を抜いていないプルーンも売られています。

188
/
365

10月5日

ニュイ・ブランシュでパリの夜を歩く

パリの街を舞台に、さまざまな芸術家たちが手がけたインスタレーションを眺めながら、夜な夜なパリを散歩できる夢のような無料イベント、それが「ニュイ・ブランシュ（白夜）」。2002年に始まり、毎年10月の第1土曜日の夜から日曜日早朝にかけて開催されています。

パリ中心部の広いエリアにまたがるインスタレーションやパフォーマンスのほか、夜通し開館する美術館やモニュメントもあります。道路に引かれたラインに沿って歩けば、メインのインスタレーションのみを迷わずに見学できる仕組み。いつもなら少し躊躇してしまうパリの夜のお散歩も、この日だけは特別です。このイベントに合わせてメトロも特別に夜間運行をしているので安心。パリジャンたちに混ざって忘れられない夜を過ごしましょう。

パリで始まったこの白夜イベントは現在、ローマやブリュッセルなどヨーロッパの都市、そして日本では京都でも開催されています。

6 | octobre

189 / 365

10月6日

映画の舞台を巡るパリ歩き

フランス映画が好きな人にとって、パリはまるで自分が大好きな映画の世界に入り込んだような、素敵な錯覚を覚えさせてくれる街。エッフェル塔やサクレ・クール寺院のような象徴的なスポットだけでなく、裏通りや小さなカフェ、細い階段など、ふと歩いている瞬間に、昔観た数々の名作のシーンが頭をよぎる場所がたくさん隠れています。今はインターネットで、撮影された場所のいろんな情報が集められるので、パリを舞台にした映画→ 140/365・261/365のお気に入りスポットを巡る旅を計画するのも楽しいです。パリは映画やテレビの撮影に寛容、というよりも市をあげて歓迎しているだけに、街のそこかしこで撮影隊に遭遇する機会がとても多いです。もちろん俳優に出会う確率も多く、私なんかはミーハー心で立ち止まって撮影をじっと眺めているのですが、パリジャンたちは慣れたもので、たいていはスタッフに誘導されるがまま、クールに通り過ぎて行きます。

7 | octobre

190 / 365

10月7日

フランスのジンクス その2

縁起が悪いとされるフランスのジンクスは、112/365 以外にもまだまだあります。食卓で塩を取ってとお願いされたら、直接手渡ししてはダメで、その人のそばにトンと置いてあげるのがよしとされます。うっかりテーブルに塩をこぼした時は、その塩を少量つまんで自分の肩越しに投げるという仕草をします。バゲットなどのパンは切れ目の入ったふくらんだ部分を表とすると、裏に当たる平らな部分を天に向けて置いてはいけません。うっかり逆さまにしていると、気持ち悪がって正しい向きに直す人は多いです。中世の時代、パン屋さんが死刑囚のためのパンを裏返しに置いて目印にしていたところから生まれた言い習わしだそう。13人でテーブルを囲んではいけないという迷信は、キリストの最後の晩餐からきています。食事をした人の中から死人が出ると脅かされて以来、怖がりの私は13人になるのを避けるようになってしまいました。信じるか信じないかはあなた次第…。

8 | octobre

191 / 365

10月8日

おみやげにしたいマロンペースト

上質な栗の産地として有名なフランス南東部のアルデッシュ県。ここの名産のひとつが、地元企業の「クレマン・フォジエ」が1885年に開発したマロンクリームです。マロンのピュレと砕いたマロン・グラッセ、砂糖、バニラなどを原料に、昔と変わらないレシピで作り続けられています。今ではモンブランで有名な「アンジェリーナ」や、ジャムで有名な「ボンヌ・ママン」などさまざまなメーカーのものがありますが、イガ栗の男の子が目印のクレマン・フォジエのマロンクリームが一番お手頃。小さい缶やチューブ入りがあって、ばらまきみやげにもぴったりです。

栗本来の風味が感じられる、シンプルでホッとする味わいで、パンやクレープに塗ったり、アイスクリームやヨーグルトに添えたり、ホイップクリームと合わせて即席のモンブランを作ってみたり、楽しみ方はいろいろです。

9 | octobre

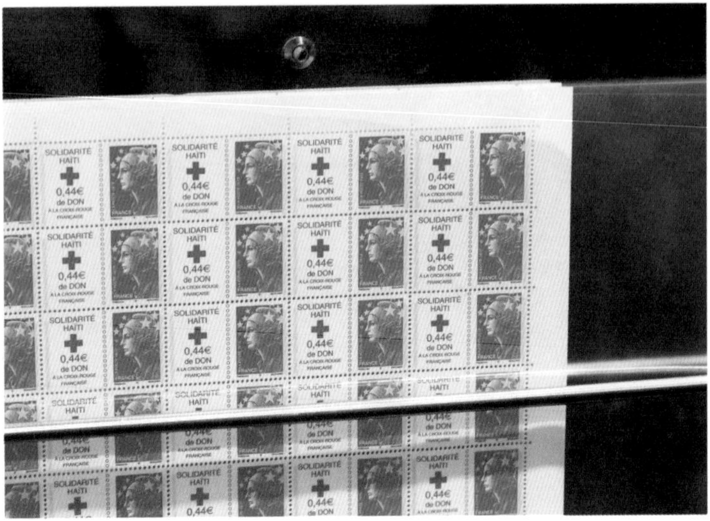

192 / 365

10月9日

切手の美女マリアンヌ

日本の普通切手はいろんな絵柄でバラエティに富んでいますが、フランスの場合は女性の肖像画の一択です。独特な形のフリジア帽をかぶり、目線を外してポーズを取っているその人の名は「マリアンヌ(Marianne)」。フランス共和国の「自由・平等・博愛」の精神を象徴する存在として、硬貨や公的な書類などにあしらわれたり、庁舎に彫像が飾られたりしている、フランスではあらゆる場所で目にする女性像です。このマリアンヌ切手は1944年から続く伝統的なデザインで、5～10年ごとにイラストが刷新されるのですが、選考の役目を担うのはフランス大統領。2013年にオランド大統領が選んだのはマンガ風のタッチで、ほぼ真正面を向いている珍しいタイプでしたが、2018年7月から採用されているマクロン大統領がチョイスしたマリアンヌは、ぐっと大人っぽい雰囲気で真横を向いています。こんなところから、大統領の好みを垣間見れるようで面白いです。

10 | octobre

193 / 365

10月10日

濃厚マロンクリームで巻かれたい、モンブラン

　フランスとイタリアの国境に位置する、ヨーロッパ最高峰の山の形から名付けられたモンブランは、焼きメレンゲにホイップクリームをかぶせ、マロンクリームを細く螺旋《らせん》状に絞ったパティスリー。カシスなどのジャムで酸味を加えるお店もあります。かつて日本では黄色い甘露煮の栗とスポンジ生地を使ったものがおなじみでしたが、フランスのモンブランは茶色でメレンゲを使うのがポイントです。

　その起源には諸説ありますが、確かなのは、フランスでモンブランの名を高めたのがリヴォリ通りの老舗サロン・ド・テ「アンジェリーナ」であること。20世紀初頭から100年以上にわたりモンブランの名店として名を馳せ、本店だけでも毎日800個を売り上げるそうです。ピエール・エルメをはじめ、数多くの名パティシエたちもそれぞれの個性あるモンブランを生み出しているので、食べ比べてみるのも楽しいです。

11 | octobre

194 / 365

10月11日

ジビエがマルシェに並ぶ季節

ここ数年、日本でもジビエ料理という言葉を耳にするようになりました。「ジビエ（Gibier）」とは、食用に狩猟で捕獲する野生の鳥獣のこと。食べ慣れた畜産のお肉と比べると風味が強いので好き嫌いは分かれますが、その分、どっしりした赤ワインとの相性は抜群です。旬の秋になると、鹿、猪、野ウサギ、真鴨、ウズラ、キジなどのジビエがお肉屋さんに並びます。どれも赤ワイン煮やローストなどにするのが定番ですが、自宅でのジビエ料理はちょっとハードルが高いのも確かで、毎年レストランで楽しむという人も多そうです。より気軽に楽しめて日本へのおみやげにもできる、ジビエのパテもおすすめ。

ちなみに家畜の方のウサギは年中買えて、鶏肉と同じように使える、より身近な食材。まるでジャンプしているようにぴょーんと伸びた形で皮を剥がれたウサギさんが、ショーケースに並んでいるのを見るたびにちょっと心は痛みますが、これもフランスの食文化のひとつです。

12 | octobre

195 / 365

10月12日

フロマージュ・ブランとフェッセル

フロマージュ・ブランとフェッセルは、フランス家庭で親しまれる簡単デザートの代表格です。「白いチーズ」を意味するフロマージュ・ブランは、牛乳を原料としたフレッシュチーズで、クリーミーな口当たりがヨーグルトと似ていますが、乳酸発酵をさせておらず酸味はほとんどありません。淡白で甘みがないため、砂糖やジャムを混ぜたり、フルーツソースをかけたりして食べるのが一般的で、スーパーには750gや1kg入りの大きなカップも売られており、家族みんなで日常的に食されていることがわかります。フェッセルは牛乳や羊乳、ヤギ乳を使ったフレッシュチーズの仲間で、カッテージチーズのようなほろほろとした食感です。チーズの水切り用に、穴の開いたザルのようなカップが入った二重構造の容器はフェッセルならでは。どちらのチーズも、デザートとしてはもとより、エシャロットやシブレット（セイヨウアサツキ）のみじん切りなどと合わせて、塩味でも楽しめます。

196 / 365

10月13日

フランス人もきのこ大好き

意外なところで共通点が多い日本とフランスですが、きのこの種類が豊富なのもそのひとつです。ただし伝統的に食べられるきのこの種類はまったく異なります。フランスには栽培・野生合わせて146種類の食用きのこがあり、最も一般的なマッシュルームや平茸のほか、セップ、モリーユ、ジロル、シャントレルなどそれぞれ特徴のあるものばかり。中には「死のトランペット」や「羊の足」など面白い名前の付いたきのこもあります。秋になると森できのこ狩りを楽しむ人も多いですが、当然食べてはいけないきのこもあるので要注意。毒きのこによる食中毒は毎年発生しています。ちなみにフランスでは食べられるきのこかどうかわからないときは、薬局に持っていくと確認してくれるというシステムがあります。最近は普通のスーパーで椎茸が気軽に買えるようになり、えのき茸を使うレストランも出てくるなど、これまでフランスになかったきのこも身近になって、ますますきのこ天国です。

14 | octobre

197 / 365

10月14日

グラタン・ドフィノワ

肌寒くなると食べたくなるフランスの伝統的なポテトグラタン。簡単で、肉にも魚にも合う最高の付け合わせです。

［材料］ 3～4人分

じゃがいも（煮崩れしにくい種類）：1kg　にんにく：1片　バター（小さい角切りにしておく）：50g　生クリーム：400cc　牛乳：125cc　ナツメグ：適量　塩：適量

［作り方］

1. オーブンを180℃に予熱する。オーブン皿にバター（分量外）をたっぷり塗る。
2. じゃがいもを洗って皮をむき、2～3mmの厚さに薄切りする。にんにくも皮をむいて薄切りにする。
3. オーブン皿にじゃがいもを敷きつめ、塩とナツメグを振りかけ、にんにくとバターの角切りをのせる。その上に生クリームと牛乳を少しかける。
4. オーブン皿がいっぱいになるまで3の作業を繰り返す。一番上はじゃがいもを敷きつめ、残りのバターを散らし、生クリームと牛乳をかける（このとき生クリームを少し残しておく）。
5. オーブンに入れて1時間弱焼いたら、残りの生クリームをかけて、さらに30分ほど焼く。じゃがいもにしっかり火が通ったら完成。

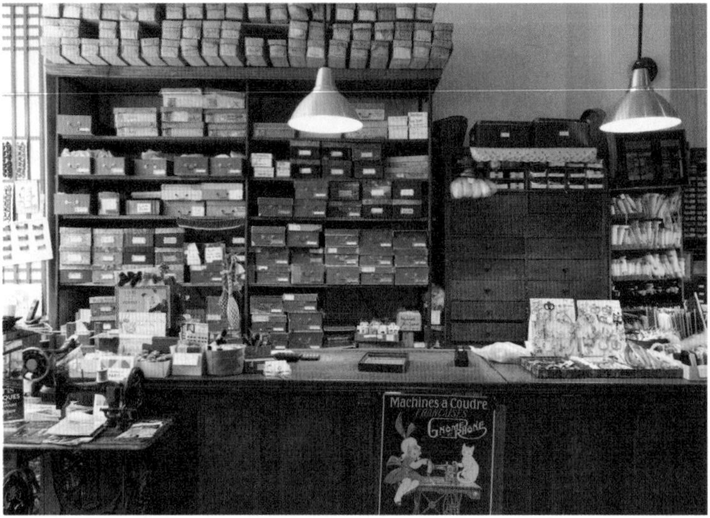

198 / 365

10月15日

老舗の手芸店

まるでそこだけ、時がゆっくりと流れているような感覚にさせてくれるお店が、パリには数多く残っています。３番線のキャトル・セプタンブル駅を出てすぐの小道に佇む「ウルトラモッド」も、ベル・エポックの時代からずっと変わらない、そんな名店のひとつ。1890年代に、リボンや羽飾りといった帽子を作るためのパーツを売る専門店として創業し、今は手芸用品のお店として、フランスのみならず、世界各地から手作りを愛する人々が訪れる聖地のような存在です。

年季の入った作り付けの棚には、素材や色の異なる生地が美しい層を作るように重なり合い、どっしりとした家具の引き出しには、糸やレースが並んでいます。ずらりと陳列された種類豊富なボタンは、１つひとつ眺めているだけで楽しく、先代マダムのコレクションである貴重なアンティークのリボンや布地も、その上品な佇まいにため息が出ます。

16 | octobre

199 / 365

10月16日

フランスの家庭の味、スープ

10月に入るとすっかり秋も深くなり、温かいスープがおいしい季節です。スープは前菜として、またはサラダとパンをプラスすればメインにもなるとても便利な料理。基本的には季節の野菜を煮てミキサーにかければいいだけで、細かいレシピを気にする必要もないのでとても簡単です。しかもハンドブレンダーがあれば鍋1つでできてしまうので、フランスではインスタントに頼らず手作りする家庭が多いです。

人参、かぼちゃ、ブロッコリー、カリフラワー、ズッキーニ、ほうれん草、アスパラガス、グリーンピースなど、旬の野菜のいずれかをメインに選び、玉ねぎか長ねぎを少しプラスして、オリーブオイルで少し炒めてから水を入れ、やわらかくなるまで煮てミキサーにかけ、おいしいお塩で味を整えるだけ。オイルの代わりにバターで炒めたり、牛乳や生クリーム、クリームチーズを入れてクリーミーにしたり、ココナッツミルクで風味を加えたりしてもいいですね。

17 | octobre

200 / 365

10月17日

お寿司を持っていくと人気者に

フランスで一番人気の和食はお寿司でしょう。味の良しあしは別として、今ではどんな地方都市にもお寿司が食べられる日本食レストランがあり（中華系オーナーがほとんどですが）、スーパーの惣菜や冷凍食品でも手に入ります。友人を自宅に招いて手巻き寿司をしたり、ポットラックや学校や地域の集まりに手まり寿司や太巻きを持って行ったりすると、それはそれは大喜びで迎えられ、瞬く間になくなってしまうほどの人気ぶり。

ある日、大きなボウルにちらし寿司を作って持って行ったら、誰からも寿司だと思われず、最後までライスサラダと呼ばれていました。その上、寿司を持って行くと宣言していただけに、みんなの落胆ぶりにも申し訳なく。彼らにとってお寿司は握り寿司か巻き寿司に限り、お醤油を付けて食べるのが醍醐味なのだと思い知りました。

18 | octobre

10月18日

ギマールのアールヌーヴォーを訪ねて

独特な曲線美を描くパリ地下鉄の入口ゲートをデザインしたことで知られる、建築家エクトール・ギマール。パリ16区の閑静な住宅街に、彼が手がけた数々の建物が今もそのままの姿で残っており、パリの街並みに溶け込む生きた芸術作品を眺め歩くような、贅沢な時間を過ごせます。メトロ９番線のジャスマン駅下車がおすすめです。

◆ **Hôtel Particulier 個人邸宅（3 square Jasmin 75016）**

◆ **Immeuble Guimard ギマール集合住宅（18 rue Henri Heine 75016）**

◆ **Immeuble Houyvet ウイヴェ集合住宅（2 villa Flore 75016）**

◆ **Hôtel Guimard ギマール邸（122 avenue Mozart 75016）**

◆ **Hôtel Mezzara メザラ邸（60 rue Jean de la Fontaine 75016）**

◆ **Immeuble Trémois トレモワ集合住宅（11 rue François Millet 75016）**

◆ **Le Berger & Les Poissons ル・ベルジェ・エ・レ・ポワッソン（17 rue Jean de la Fontaine 75016）**

◆ **Castel Béranger カステル・ベランジェ（14 rue Jean de la Fontaine 75016）**

19 | octobre

202 / 365

10月19日

スカーフのおしゃれ

「スカーフは形をきれいに整えて巻くべきもの！」という思い込みに縛られていた私は、気軽でさりげないフランス人のスカーフ使いを見て、スッと肩の力が抜けました。案外、ガチガチに形を決めて巻いている人は少ないのです。

最初にまねしたのは、シルクの大判スカーフを肩にかけて、結ぶことなく上からコートを羽織るというもの。コートで隠れるので気楽だし、何より温かくて実用的。コートを脱いで、そのままさりげなく肩にかけていたら、スカーフコンプレックスが少しずつ薄れていきました。次は、コートの襟元からのぞかせたり、コートの上から肩にかけたりして、見せるスカーフにステップアップ。そこから簡単な結び方や巻き方も徐々に試せるようになりました。最近は頭に巻くのが楽しくて、いろんな素材やサイズで研究しています。目指せ、ブリジット・バルドー！

パリッパリでとろっとろ、ショソン・オ・ポム

クロワッサン、パン・オ・ショコラと並んで、フランスの三大ヴィエノワズリーだと勝手にあがめているショソン・オ・ポムは、煮たりんごをパート・フイユテと呼ばれる折りパイ生地で包んだもの。その形から命名された「りんごのスリッパ」という飾らないネーミングも好きな理由のひとつ。アップルパイのようなもの、と訳されることもありますが、タルト型で焼いた丸くて大きなものとは味も食感も別物です。

外側はこんがりと焼き色の付いたパリッパリの生地、中はとろっとろのリンゴのコンポートと、その歯触りのギャップがなんとも絶妙で永遠に食べ続けたい…。とはいえ１個で十分なボリュームです。おやつとして買う人が多いですが、私は朝ごはんに食べるのが好き。ショソン・オ・ポムを買った日は、翌朝起きるのが楽しみで仕方ありません。

21 | octobre

204 / 365

10月21日

デュラレックスの底

フランスの老舗メーカー、デュラレックスのグラスは、強度が高く頑丈で、その上スタッキングもできるため、カフェや学校などではおなじみです。中でも「Gigogne《ジゴーニュ》」と「Picardie《ピカルディ》」という２つのモデルは、フランス人なら誰もが知っているグラス…と言うよりも、コップという呼び方がぴったりの懐かしい存在です。

コップの底には「DURALEX MADE IN FRANCE」の文字と並んで、どの機械で作られたかを示す製造番号が刻印されていますが、子どもたちはその数字を使って、「ぼくは34才」「わたしは２才」と言い合いっこするのがお決まりの遊び。デュラレックスを見ると反射的に「君の精神年齢はいくつ？」なんて盛り上がってしまう大人もたくさんいるので、コップの底を見つめるフランス人に出会っても不思議がらないでくださいね。

22 | octobre

205 / 365

10月22日

グルマンなコンフィチュール

星の数ほどあるフランスのおいしいコンフィチュールの中でも、私が愛してやまないのが「La《ラ》 Chambre《シャンブル》 aux《オ》 Confitures《コンフィチュール》」。何が好きって、まずはそのルックス。刺繍ステッチのような繊細なモチーフに縁取られたまん丸なラベルが、とにかくかわいいのです。つるんとした円筒形のガラス瓶も素っ気なさが逆によし。肝心の中身も、もちろんおいしい！ 職人たちが手間ひまかけて完熟フルーツを煮込んだコンフィチュールは、シンプルなフレーバーもよいのですが、いちじく&くるみ&コニャック、フランボワーズ&薔薇の花びらといった個性的な組み合わせも魅力です。マンゴー&パッションフルーツ&バニラはバニラビーンズがたっぷり入っていて、ヨーグルトに混ぜたり、クリームチーズと重ねて塗ったりするだけで、ちょっと高級なデザートを味わっている気分を楽しめます。200gで8ユーロと贅沢な値段ですが、自信を持っておすすめします。

23 | octobre

206 / 365

10月23日

ビューラーの話

フランス人女性に憧れるところを挙げはじめたらキリがないのですが、これはうらやましい！と私が心底思ったのが、自然にカールした長いまつ毛。まぶたの筋力が強いのが理由だそう。フランスの女性たちはビューラーを使わない、というか、それ以前に持っていない人がほとんどという事実を知った時は衝撃が走りました。

朝、時間がなくてもマスカラとリップだけは欠かせないという人が多いのですが、ビューラーでまつ毛をカールすることなく、直接マスカラを塗るだけでぱっちりお目々に仕上げられるなら便利ですよね。そして、マスカラが落ちてパンダ目になるのを気にする人もあまり多くない印象。きっと自前のカールで夜までしっかりとまつ毛が上向きなんでしょうね。あぁ、うらやましい。

24 | octobre

207 / 365

10月24日

週末の朝のお楽しみ

バゲットと並んで、フランスを代表するパンといえばクロワッサンでしょう。その名前の由来でもある「三日月」の形がなんとも愛らしく、パン生地の間にバターを挟んで繰り返し折りたたんでから焼くことで生まれるサクサクした食感、そして口に広がるバターの香りは、何度食べても飽きないおいしさです。

フランス人は頻繁にクロワッサンを食べていると想像する人は多いかもしれませんが、実はそうでもありません。バターをたっぷり折り込んだクロワッサン「Croissant《クロワッサン》 au《オ》 beurre《ブール》」は１個150円ほど。同じ値段かそれ以下で大きなバゲット１本が買えることを考えれば、ある意味贅沢品なのです。だから、ゆっくりできる週末の朝に食べる人が多いようです。

25 | octobre

208
/
365

10月25日

餅は餅屋、肉は肉屋

朝、お肉屋さんの前に停められたトラックの荷台に、大きな牛の肉が丸ごと何頭分もぶら下がっていることがあります。初めて出くわしたときはギョッとしたものですが、フランスではよくある光景。工場でパックされるのではなく、お肉屋さん自らが切り分けて売ることを考えると、逆に新鮮さの保証とも言えますね。なんだかんだ言って肉食なフランス人にとって、お肉屋さんはとにかく大切な存在。塊肉の焼き時間のアドバイスをもらったり、扱いづらい骨付き肉をカットしてもらったり、ハムを好みの厚さにスライスしてもらったりと、スーパーでは得られないサービスが魅力。お惣菜が充実しているお店も多くて便利です。何よりも、やはり専門店のお肉はおいしい…！ 注文ごとに挽いてくれるジューシーな牛挽肉を一度味わうと、スーパーの挽き肉にはもう戻れません。なお、フランス料理では使われない薄切り肉や豚挽き肉は、特別にオーダーしないと買うことができません。

26 | octobre

10月26日

甘い香りに誘われる…サロン・デュ・ショコラ

1995年からパリで毎年10月末から11月初めにかけての5日間開催される「サロン・デュ・ショコラ」は、世界60カ国から500以上の出展者を誇る世界最大のチョコレートの祭典。カカオ豆の生産国から、今をときめくショコラティエが生み出す宝石のようなボンボン・ショコラまで、チョコレートに関わるすべてが一堂に会すのはもちろん、パンやパティスリー、コンフィズリー（砂糖菓子）など、パンとスイーツ全般のお祭りで、日本やロシアなどでも開催される世界的な催しです。パリの「サロン・デュ・ショコラ」では、ショコラティエとデザイナーがコラボして生まれるチョコレートドレスのファッションショーやデモンストレーション、子ども向けアトリエ、コンクールなどさまざまなイベントが行われ、チョコ好きからプロのショコラティエまで、幅広く楽しめます。甘い香りにうっとりする本場の「サロン・デュ・ショコラ」、ぜひ一度訪れてみてください。

27 | octobre

210 / 365

10月27日

冬時間が始まる朝はのんびりと

フランスには夏時間 →362/365 と冬時間の制度があり、夏は3月の最終日曜日に時計の針を1時間早め、冬は10月の最終日曜日に1時間戻します。日曜日になった朝2時を境に入れ替わるため、土曜の夜寝る前に変更しておく人がほとんどですが、今はスマホやコンピューターを自動的に夏時間や冬時間に変更する設定にできるので、うっかり忘れていた！ と焦ることが少なくなりました。時計を巻き戻す冬時間は、最初の1週間ほどは体内時計のせいか、いつも通りの時間に目が覚めてしまうので、なんだか1時間トクした気分になり、ベッドの中でだらだらするのがちょっとしたシアワセです。たとえ夏時間と勘違いして行動しても、遅刻どころか1時間早く到着するので安心。夕方、日が暮れて暗くなるのも早まり、11月頃から始まるクリスマスのイルミネーションを少しだけ長く楽しめるのも、冬時間の良さでしょう。

※ EU 圏内の夏・冬時間移行の廃止が決定し、2021 年以降に施行予定。

28 | octobre

211 / 365

10月28日

パン好きの天国

フランス人にとってのパンは主食であるというだけではなく、フランスが誇る食文化のひとつです。昔に比べればその消費量は減りましたが→318/365、パンのない食事は考えられないという人がまだまだ多いです。街のブランジュリーの軒数の多さはもちろんのこと、1軒の店が取りそろえるパンの種類もとても豊富です。いわゆるバゲットだけでもレシピや形の違いで数種類。同じくハード系の丸パンも、田舎パン、全粒粉、ライ麦、くるみ、いちじくなどたくさんの種類があります。ふわふわしたブリオッシュやミルクパン、そしてこれらをベースにした甘い菓子パンもいくつか。クロワッサンを筆頭にパン・オ・ショコラ、レーズンパン、ショソン・オ・ポム→203/365 など、バターたっぷりのヴィエノワズリーや、専門店とは異なる素朴さが魅力のケーキ→57/365 もいろいろあります。日本のパン屋さんの顔ぶれとはだいぶ異なるので、比べて楽しむのも面白いですね。

29 | octobre

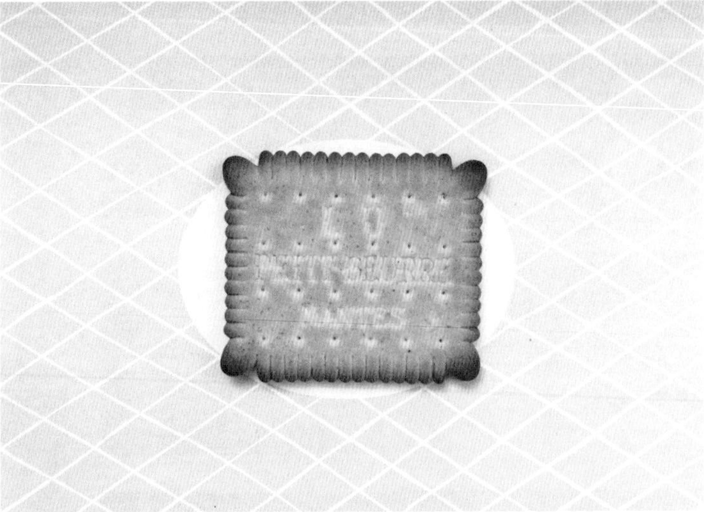

212 / 365

10月29日

リュのプチ・ブール

フランスにはいろんな種類のビスケットがありますが、どれもブランドの名前や凝った絵柄が刻まれていて個性的。そんなビスケットの顔をまじまじと眺めながらかじるのも楽しいものです。フランス人なら誰もが知るビスケットの代表といえば、1886年に誕生したプチ・ブール。老舗製菓メーカー「LU《リュ》」の創始者が考案した絵柄は130年以上経った今も受け継がれ、当時と変わらないビスケット型で焼き続けられています。

4つの角の突起した部分は四季を、レース編みの敷物から発想したまわりを縁取る52のフリルは1年間の52週を意味します。そして横6つ、縦4つに整然と並ぶ小さな24個の点は、1日の24時間を示しています。自然の摂理に基づいたデザインが、このビスケットをさらにおいしくしている秘密の魔法かもしれません。

30 | octobre

213 / 365

10月30日

ジャンボン・ピュレはママンの味

直訳するとハム・マッシュポテト。つぶしたじゃがいもに、買ってきたハムをお皿にのせただけの、料理とも呼べないような究極にシンプルな一品ですが、このジャンボン・ピュレに思い入れがあるフランス人は少なくありません。ピュレは作り方も材料も味付けも家庭ごとにそれぞれのレシピがあり、幼い頃から親しんできた究極のママンの味。

ハムはジャンボン・ド・パリが定番。豚のもも肉をさまざまなハーブと一緒に煮て作られるきれいなピンク色をしたハムで、18世紀からパリで作られていたところから、「パリのハム」と呼ばれています。今はスーパーなどで簡単に手に入るおなじみのハムのひとつです。

シンプルだからこそ際立つおいしさは、日本の白いごはんと梅干しの組み合わせのよう。300/365で紹介しているロブションのピュレのレシピ、ぜひ試してみてください。

31 | octobre

214 / 365

10月31日

避けては通れないトイレ問題

自由に無料で使えるトイレが少ないのは、フランスだけでなくヨーロッパを旅行する人の悩みの種。主に大きい通り沿いにあるパリ市の公衆トイレは無料で、前の人が使い終わってトイレから出ると、一旦ドアが閉まって中を丸洗いしてくれる完全自動型。最低限の清潔さは保たれています。市内には400の公衆トイレ（男性専用を含めると750以上）がありますが、ペーパーがなかったり、故障していたり、必要なときに見つからなかったりすることも。カフェやレストランなどの飲食店では客のトイレ利用は無料と決まっていて、ドアにコインを入れる仕組みの場合、お店の人に「Jeton《ジュトン》」と呼ばれる専用コインをもらって使います。駅やデパート、ショッピングセンターのトイレは比較的きれいな代わりに有料（50～100円程度）のところが多く、昔ながらに、トイレ掃除をする代わりに指定の料金またはチップをもらう仕事の女性たち（Dame pipi《ダムピピ》）がいるところもあります。

1 | novembre

215 / 365

11月1日

お墓参りの季節

国民の休日である11月1日は、「Toussaint《トゥーサン》」というすべての聖人と殉教者を祝うカトリックの祭日で、フランスではこの時期にお墓参りをする人が多いです。パリ市内には15の墓地がありますが、お墓と聞いてイメージするような、おどろおどろしさとは無縁。緑の多い公園のような雰囲気で、お参りだけでなく、ただ散策を楽しむ人も訪れます。パリ最大で、世界一入場者が多いのがペール・ラシェーズ墓地。ショパンやピアフなど多くの著名人のお墓があります。その次に大きいのがボードレールやサルトル、ゲンズブールらが眠るモンパルナス墓地。３番目はモンマルトルの丘の上にあるモンマルトル墓地。ドガやトリュフォーらのお墓があります。お墓自体、シンプルなものから大きな建物や塔まで、バリエーション豊かで興味深いです。どの墓地も入口近くに著名人のお墓の場所を示す案内図がありますが、そこに眠る人々へのリスペクトを忘れずに、静かに散策しましょう。

2 | novembre

216 / 365

11月2日

面白いフランス語の言いまわし［動物編その2］

◆**Donner《ドネ》 sa《サ》 langue《ラング》 au《オ》 chat《シャ》（猫に舌をあげる）**

答えを出すのをあきらめる、降参する。猫は秘密を守る生き物と考えられていたことから、大事な舌をあげる代わりに秘密を教えてもらう、という言い伝えからきているそう。

◆**Fier《フィエール》 comme《コム》 un《アン》 pou《プゥ》（シラミのように誇らしげ）**

自信過剰、自分を過大評価して威張る。偉そうにしているシラミを想像すると笑えます。

◆**Il《イル》 n'y a《ニヤ》 pas《パ》 de《ドゥ》 quoi《クワ》 fouetter《フエテ》 un《アン》 chat《シャ》（猫にムチ打つほどのことではない）**

大したことではない。関連して「Avoir《アヴォワール》 d'autres《ドートル》 chats《シャ》 à《ア》 fouetter《フエテ》（ムチを打つべき他の猫を持つ）」と言うと、もっと他にやるべきことがある、という意味になります。

◆**Avoir《アヴォワール》 des《デ》 fourmis《フルミ》 dans《ダン》 les《レ》 jambes《ジャンブ》（脚の中に蟻がいる）**

足がしびれる。無数の蟻がうじゃうじゃと脚にたかっているのを想像すると恐ろしい。

◆**S'entendre《サンタンドル》 / S'aimer《セメ》 comme《コム》 chien《シアン》 et《エ》 chat《シャ》（犬と猫のように仲が良い、愛し合っている）**

仲が悪いこと。逆説的な意味になるのが皮肉屋のフランス人らしさ。

◆**Avoir《アヴォワール》 une《ユヌ》 mémoire《メモワール》 d'éléphant《デレファン》（ゾウの記憶を持つ）**

記憶力がとても良いこと。体が大きい分、やっぱり脳も大きいのでしょうか。

3 | novembre

217 / 365

11月3日

毎月第1日曜日は美術館無料デー

パリには一年中通して無料で鑑賞できる美術館が多くありますが → 52/365、「芸術の都パリ」の太っ腹具合はそれだけに留まらず、なんとルーヴルやオルセーといった世界的に有名な美術館も、月の第1日曜日に無料デーを設けています。いつも以上に混雑するのは残念ですが、チープにパリを巡りたい人にはありがたいサービス。工事のために閉鎖している場合もあるので、その点は気をつけて。

オルセー美術館／オランジュリー美術館／国立近代美術館（ポンピドゥー・センター）／クリュニー中世美術館／ピカソ美術館／ドラクロワ美術館／ギュスターヴ・モロー美術館／ギメ美術館／建築・文化財博物館／ケ・ブランリー美術館／ロダン美術館▲／凱旋門★／コンシェルジュリー★／パンテオン★／サント・シャペル★／ヴェルサイユ宮殿の一部★／ルーヴル美術館●　ほか

※▲は10月1日～3月31日のみ、★は11月1日～3月31日のみ、毎月第1日曜日が無料。●は毎月第1土曜日の18：00～21：45のみ無料。

4 | novembre

218 / 365

11月4日

シャンプーは週1回!?

フランス人は風呂嫌いで、匂いを香水で隠すというイメージをいまだに持っている人はいるかもしれませんが、確かに毎日シャンプーをする人は多くないかもしれません。ただそれは、決して不潔なのではなく、必要を感じないから。日本よりもぐんと乾燥しているフランスでは、一日の終わりに髪がベタついて気持ち悪いと感じることが少なく、シャンプーをしていない2日目の方が髪のコンディションが良い場合すらあります。さすがに週1回は言い過ぎかもしれませんが、髪を傷めないためにシャンプーを2、3日おきにしている人は多いと思います。毛が細く猫っ毛タイプの人は、ボリュームが出ないからという理由でリンスを使いません。昔は小さなスーパーだとリンスを置いていなくて困ったものですが、最近は難なく見つかるようになったので、リンスの習慣がようやく定着してきた気がします。リーズナブルなホテルだとアメニティーにリンスがない場合が多々あるので気をつけて。

5 | novembre

11月5日

面白いフランス語の言いまわし［食べ物編その2］

◆Avoir《アヴォワール》 un《アン》 cœur《クール》 d'artichaut《ダルティショ》（アーティチョーク→ 148/365 の芯を持つ）

芯を覆う「がく」をみんなに渡して芯だけが残る＝気が多く惚れっぽいという意味。

◆Avoir《アヴォワール》 la《ラ》 pêche《ペッシュ》（桃を持つ）

とても元気！ という意味。桃を「la frite《ラ フリット》（フライドポテト）」に代えても OK。

◆Pleurer《プルレ》 comme《コム》 une《ユヌ》 madeleine《マドレーヌ》（マドレーヌのように泣く）

とめどなく泣くことで、お菓子の方ではなく、新約聖書のマグダラのマリアのこと。

◆Tomber《トンベ》 dans《ダン》 les《レ》 pommes《ポム》（りんごの中に倒れる）

気絶する。由来は諸説あるそうですが、日常会話でよく使います。

◆Se《ス》 faire《フェール》 rouler《ルレ》 dans《ダン》 la《ラ》 farine《ファリーヌ》（小麦粉をまぶされる）

だまされる。天ぷらみたいにそのまま油で揚げられちゃいそうで怖い。

◆Donner《ドネ》 de《ドゥ》 la《ラ》 confiture《コンフィチュール》 à《ア》 des《デ》 cochons《コション》（豚にジャムを与える）

ずばり、豚に真珠のこと。フランスではジャムなのが面白い。

◆Long《ロン》 comme《コム》 un《アン》 jour《ジュール》 sans《サン》 pain《パン》（パンのない1日のように長い）

終わりが見えないこと。空腹だと悲観的になってますます長く感じるものです。

220 / 365

11月6日

フランスの映画は水曜に封切り

所変わればで、フランスでは新作映画の封切りは毎週水曜日と決まっています。アメリカや日本をはじめ、多くの国では週末の客を見込んで金〜日曜日の週末にかけて封切られる所が多いですが、フランスはなぜか平日の真ん中、水曜日。

かつて映写機で上映していた時代、地方の映画館に缶入りフィルムをスムーズに運ぶために、道路が混む週末を避けて平日を選んだというのが1つ目の理由。もう1つは、ずばり、水曜は学校がお休みの日だから。2014年以降は、地域によって午前中だけ通学して、お昼になると家に帰る子たちもいます。ちなみに、1972年までは木曜日がお休みだったため、当時は映画の封切りも木曜日でした。このようにフランスでは、子どもたちが自由に遊べる水曜日に合わせて、新しい映画を公開しているというわけです。

7 | novembre

11月7日

フランス人が好きな魚

大西洋と地中海に囲まれたフランスは新鮮な魚介類が取れるので、マルシェやスーパーには活きのいい魚が並びます。イワシやサバ、アジなどの青魚もありますが、より淡白な白身魚が好まれ、値段も高め。かつ、ナイフとフォークで食べやすい、小骨の少ない、骨を外しやすい魚が人気です。あるサイトの調査によると、好きな魚ランキングの１位は、子どもも大人も食べやすく料理しやすいサーモン。２位の「Cabillaud《キャビヨ》」、３位の「Merlu《メルリュ》」、４位の「Lieu noir《リュー ノワール》」、７位の「Merlan《メルラン》」と、タラの仲間が４種類も登場。フランスで買える魚といえばタラの種類がやたらと多いのが特徴で、他にも「Lieu jaune《リュー ジョーヌ》」、「Colin《コラン》」などがあり、何を買えばよいのかわからなくなるほどです。その他では５位にタイ、６位にマス、８位にスズキ、９位にアンコウ、10位にエイがランクイン。エイは比較的ポピュラーな魚で、ケッパーを入れた酸味のあるソースで食べるのが定番です。

8 | novembre

222 / 365

11月8日

パリのクリスマスシーズン開幕

パリのクリスマスシーズンは、11月初旬、オスマン通りにある老舗デパート「ギャラリー・ラファイエット」と「プランタン」から始まります。建物のイルミネーションはもちろん、夢のようなデコレーションの中で機械仕掛けの人形たちが動くショーウィンドウは、まさにパリのクリスマスの風物詩です。ギャラリー・ラファイエットの本館中央、ちょうど化粧品売場の上には、1912年に作られたネオ・ビザンチン様式のとても美しい丸天井（クーポール）があり、その下に毎年、巨大なクリスマスツリーが登場します。毎年異なるテーマとデザインで世界中からやって来る旅行者の目を楽しませてくれるのですが、とりわけ2014年の逆さまツリーには度肝を抜かれました。ステンドグラスの丸天井を中心に、芸術的な鉄細工の装飾が見事な各階のバルコニーを見渡せるこの空間は、一見の価値あり。できればぜひクリスマスシーズンに行ってみてください。

9 | novembre

223 / 365

11月9日

チーズの切り方

おうちディナーに招かれると、メインとデザートの合間にいろんな種類のチーズが丸ごとのせられたプレートが出されます。先に招待客がカットするよう勧められるのですが、正しい作法を知らないとドギマギします。要は、全員に各チーズが行き渡ることを考慮しつつ、自分が食べる分だけカットすればよいのですが、チーズの形によってルールがあります。円形や四角錐、ハート型はホールケーキを切る要領で三角にカット。ヤギのチーズによくある円筒形は端から輪切りに。長方形のハード系チーズは、3辺に外皮があり、高低差もあるため意外と難しい形です。長辺に沿って細長く切っても良いですが、人数が多い場合は、低い部分から短辺に対して平行に切りはじめ、外皮に近くなったところで方向を変えて垂直に切ったり、最初から斜めに切ったりすると最後の人にもチーズの部分が残ります。わからない時は素直に聞くのが一番安心で、私はいまだにそうしています。

10 | novembre

224
/
365

11月10日

SMSの略語

フランスにもSMS（ショートメール）で使われる略語があります。若者言葉のイメージが強いので、親しい間柄で使うのがベターです。

◆MDR = Mort《モール》 de《ドゥ》 rire《リール》（死ぬほど笑う）
こう書くと大げさですが、日本の「www」のような感じ。

◆A+ = À《ア》 plus《プリュス》（またね）
プリュスを同じ発音の記号「+」で代用。

◆C = C'est《セ》（それは〜です）
一文字で「セ」と発音するアルファベット「C」で代用。

◆SVP = S'il《スィル》 vous《ヴ》 plaît《プレ》（お願いします）
例外はありますが、基本的に母音を省略した書き方。これらはかつてテレックスなどの通信機器で使われていた略語なので、ビジネスのやり取りで使う人もいます。

◆JSP = Je《ジュ》 (ne)《ヌ》 sais《セ》 pas《パ》（わかりません）／JTM = Je《ジュ》 t'aime《テーム》（愛しています）
こんなフレーズもたった3文字で伝えられます！

11 | novembre

225 / 365

11月11日

毛むくじゃらたちの戦い

11月11日は「Armistice《アルミスティス》（第一次世界大戦休戦記念日）」の祝日。1918年のこの日、フランス北部コンピエーニュの森で、フランスやイギリスなどの連合国とドイツとの間で休戦協定が結ばれ、4年以上にわたり多大な犠牲をもたらした戦争が終結しました。この戦争の話で必ず出てくるのが「ポワリュ（Poilu）」という単語。直訳すれば「毛むくじゃら」で、「勇敢な」という意味もあり、第一次大戦を戦ったフランス兵のことをこう呼びました。青い軍服の「ポワリュ」たちは、地面を掘って作った塹壕《ざんごう》に身を隠しながら激しい戦闘に耐えたのです。140万人もの戦死者と大きな物的被害を被ったフランスでは、「La Grande Guerre《ラ グランド ゲール》（大戦）」とは第一次大戦のことで、人々の心に大きな傷跡を残しました。毎年この日には大統領参列のもと、凱旋門の下の「無名戦士の墓」で行われる式典のほか、全国の市町村でもセレモニーが行われ、戦没者を追悼します。

12 | novembre

226 / 365

11月12日

若さだけではない良さ

若々しくありたいという願いはフランス人にも共通していて、「若く見える着こなし」とか「肌が若返るクリーム」といったうたい文句をよく見かけます。とはいえ、彼らにとって、若くあり続けることと実年齢は別問題。40代だけど30代に見られることに価値を見出したり、50代になったらこういう服装はできないと、自ら制限を与えたりする人はかなりの少数派。数字に縛られ、歳を取ることを安直に怖がるのではなく、その年齢だからこそできる髪型やメイク、ファッション、そして生き方を楽しむ努力をするのがフランス的な若々しさだと感じます。フランス語に「先輩」「後輩」にあたる言葉はなく、飛び級や留年が日本に比べて多いこともあり、同学年、同期入社といった「同い年」の意識もかなり薄いです。ネットや雑誌の記事で人名の後に年齢をカッコで記す習慣もなく、日常的に年齢を意識する機会が少ないのも、彼らが歳にこだわらない理由のひとつかもしれません。

パリの地区：モンマルトル

1860年にパリに併合されるまで、郊外の農村だったモンマルトル。かつてたくさんあったという風車や葡萄畑は姿を消しつつありますが、「パリの中の田舎」とも呼ぶべきその趣は失われていません。パリで一番高いこの丘を上り下りするための階段や坂道、昔ながらの入り組んだ小道を歩いていると、すっかりタイムスリップした気分になります。19世紀末以降にはピカソやロートレック、モジリアーニなど数多くの画家たちがアトリエを構え、ムーラン・ルージュなどのキャバレーも立ち並ぶ、華やかなベル・エポックのまさに中心地でもありました。

丘の上にそびえる白亜のサクレ・クール寺院は1923年に完成した比較的新しい建物ですが、今ではすっかりパリのシンボルのひとつになりました。ここから見下ろすパリの絶景を求めて、世界中から旅行者たちが集まります。

14 | novembre

228 / 365

11月14日

普通の市バスでパリ観光

路線や停留所が数え切れないほどあるバスを旅行者が乗りこなすのはなかなか難しいですが、目的地に行くために乗るのではなく、街を眺めること自体を目的にするとストレスなく楽しめます。ポイントは中心地を通るバス路線を選ぶこと。有名スポットの姿が見えたら停車ボタンを押すぐらいの気楽な心構えで乗ってみましょう。中でもぜひ試してほしいのが95番のバス。スタート地点は、土日にヴァンヴの蚤の市が立つパリの南側。そこからモンパルナス駅、サンジェルマン・デプレ教会、セーヌ川まで一気に北上し、橋を渡ると最大のハイライトである、ガラスのピラミッドがそびえるルーヴル美術館の中庭へ。その後はオペラ大通りからオペラ・ガルニエやデパートの近くを通る、まさにパリの中心部を縦断する路線です。途中下車して観光やショッピングを楽しむもよし、窓際の席に陣取って窓からの眺めを楽しむもよし、普通の路線バスなのに観光バスのように活用できます。

15 | novembre

229 / 365

11月15日

ムース・オ・ショコラ

ビストロでも超定番のデザート、ムース・オ・ショコラ。この上なくシンプルなのに、みんなに褒められるおいしさのレシピです。カカオ分50%程度のチョコレートなら砂糖を入れずに、カカオ分が多い場合は好みで砂糖を加えて。まずは半量で試してもOK。

［材料］ 8人分
製菓用ブラックチョコ（カカオ分約50%）：200g　卵：6個　塩：ひとつまみ

［作り方］
1. チョコを割って湯煎や電子レンジで溶かす。卵を卵黄と卵白に分ける。
2. 溶かしたチョコに6個分の卵黄のみ入れてしっかりと混ぜ合わせる。
3. 別のボウルに6個分の卵白と塩を入れて、メレンゲのツノが立つぐらいしっかりと泡立てる。
4. メレンゲに2を1/3入れて混ぜ合わせ、残りをすべて加えて、底からメレンゲを持ち上げるようにしながらやさしく混ぜる。
5. ムースを器によそって（大きなボウルのままでもOK)、冷蔵庫に入れて最低3時間冷やす。

230 / 365

11月16日

自宅でプリントできるかわいい切手

最近は手紙を書く機会がすっかり減りましたが、それでも仕事関係の書類などを郵送することがあります。フランス国内なら12枚綴りのシールシートを事前に購入しておいて、重量に合わせた枚数を貼ればよいのでとてもシンプルなのですが、海外向け切手となるとすぐに金額がわからず困ります。そこでここ数年は、自宅で好きな枚数だけ印刷できる「La poste《ラ ポスト》（フランス郵便）」のオンラインサービスを活用しています。郵便局に足を運ぶ手間が省けてとても便利です。まずは好きな絵柄を選び、封筒の重さと国内か海外かの宛先を指定すれば、それに応じた切手をPDF化してくれます。ネット決済後にそのPDFを印刷して、切手部分をはさみで切り、のりで封筒に貼り付ければOK。このサービスの良い点は、郵便局で売っている切手以外の絵柄がたくさんそろっており、かわいくて個性的なこと。しかも、切手の料金がほんの少しだけ安くなります。

11月17日

パリのサーカス「シルク・ディヴェール」

2体の騎馬像が置かれた立派な入口と壁の装飾が印象的な円形の劇場が、北マレ地区にあります。後のナポレオン3世出席のもと、1852年に開業した歴史ある「Cirque《シルク》 d'hiver《ディヴェール》」です。「冬のサーカス」というその名の通り、サーカスのために建てられた珍しい劇場で、毎年秋から春にかけて開催されています。綱渡りやトランポリン、空中ブランコなどのアクロバットや、ユーモラスなピエロの曲芸、象や馬、ライオン、トラ、鳥、犬やネズミなどの動物を使った曲芸といった、まさに王道のサーカスを、オーケストラの生演奏とともに、レトロ感たっぷりの空間で楽しめる貴重な場所です。動物愛護の観点からサーカスでの動物利用を禁止する国が増えています。「シルク・ディヴェール」もそんな時代の波に逆らうのは難しくなるかもしれませんが、多少形を変えても、19世紀から続く冬のパリのエンターテイメントがこれからも私たちを楽しませてくれることを祈っています。

232 / 365

11月18日

パリの地区：マレ

もともと「Marais《マレ》（沼地）」だった場所に、中世の時代、テンプル騎士団が教会を建設したのがマレの長い歴史の始まりで、石畳の入り組んだ細い道はその頃の名残です。パリ最古の広場、ヴォージュ広場を取り囲む赤レンガが印象的な建物をはじめ、貴族の館が17世紀に次々と建てられ、その一部は現在もピカソ美術館やカルナヴァレ美術館として残されています。19世紀末には東欧のユダヤ人たちが移り住み、ロジエ通りを中心にファラフェル→ 233/365 などユダヤ料理の店が軒を連ねるユダヤ人街が発展。現在は流行に敏感なパリジャン、パリジェンヌに人気のスポットかつLGBTカルチャーの中心地です。その人気の高まりを象徴するように、この10年ほどで、おしゃれなショップやカフェが、より北部の「Haut《オ》 Marais《マレ》（北マレ）」と呼ばれるエリアにまで広がっています。時を超えた多面体のようにさまざまな表情を見せるこの地区は、決して私たちを飽きさせません。

19 | novembre

233 / 365

11月19日

マレ地区の名物ファラフェル

イスラエルをはじめとする中東を代表する料理ファラフェルは、マレ地区で人気のストリートフードです。ひよこ豆をつぶし、ハーブやスパイスを混ぜて油で揚げたコロッケのようなもので、きゅうりやキャベツなどの生野菜や揚げナス、フムス（ひよこ豆のペースト）と一緒にピタパンで挟み、ヨーグルトソースをかけたサンドイッチのことも同じくファラフェルと呼びます。ベジタリアンとは思えないほどボリュームたっぷりで、1つ食べるとお腹いっぱい。どこかエキゾチックな味わいで、さまざまなオリジンを持つ人が集まった街、パリを象徴する食べ物のひとつと言えるでしょう。

ファラフェルのお店が集中するロジエ通りはユダヤ人街の中心ですが、ここ数年ユダヤ文化とは無関係のショップの進出も増え、昔ながらの風景が失われつつあるのは少し残念です。

20 | novembre

234 / 365

11月20日

チーズのパッケージいろいろ

町のチーズ屋さんでは欲しい分量をカットして紙に包んでもらうので、チーズは丸裸の状態で置かれていますが、スーパーでは衛生面や陳列することを考えて、パッケージされています。千差万別の形に合わせ、工夫を凝らした面白い容器が多いのもチーズ大国ならでは。

パカっと開けられるカマンベールの木箱 → 100/365 は、チーズが紙で包まれているとはいえ、熟成度を調べるためにふたを開けて指で押す人が多いという問題が付きまといます。側面に熟成度を示す日付が記されていても、自分の指で確かめたいという人はあまり減らなさそう。もろく扱いにくい青カビ系のチーズは、便利な引き出し式のトレイに入っているのが一般的です。出し入れ簡単で、ケースで密閉されているから冷蔵庫でもさほど匂いません。ヤギのチーズは円筒や四角錐といった変わった形が多く、どれもぴったりの容器に入っていて目立つので、見つけやすくて助かります。

11月21日

ほの暗さに感じるエスプリ

フランスの家庭では蛍光灯のような青白いはっきりとした照明は好まれず、暖色系の電球を使うことがほとんどで、陽が落ちて電気を点けてもなんだか薄暗い感じがします。１つの照明で部屋全体を明るく照らすというよりも、各所にルームランプを配置し、必要に応じて点けるというスタイルが一般的。慣れない頃は少しストレスに感じましたが、そうすることで、ここはアペリティフ、ここは読書、ここはくつろぐ場所と、１つのスペースにいろんなコーナーが生まれて、同じ部屋をより多目的に楽しめる気がします。

キャンドルを上手に取り入れている人も多く、特別なことがなくても、普段からさりげなくキャンドルに火をつける仕草がとても素敵だなと思うようになりました。天井の照明はあえて点けずに、床や棚に置いたルームランプとキャンドルのやわらかな灯りだけで過ごすほの暗い時間に、フランスらしいエスプリを感じます。

22 | novembre

11月22日

ムール貝の思い出

「いつかムール貝を食べてみたい」と夢見ていたのは、高校生の頃に観た映画『地下鉄のザジ』の影響から。パリの大衆食堂で、無我夢中になって山盛りのムール貝を平らげるザジの食べっぷりを見て、まだ知らぬムール貝の味に思いを馳せました。初めてパリを訪れた時、レピュブリック広場に面したブラッスリーで、念願のムール・マリニエールを注文しました。黒く光る貝の間から薄いオレンジ色のぷっくりした身が顔をのぞかせ、湯気とともに白ワインとエシャロットの良い香りが立ち上ります。熱々のフレンチフライも供され、いざ！ とフォークを持って挑んだ瞬間、隣のムッシューが私を制し、「マドモワゼル、２つ目からは貝殻を使って食べるのがフランス流だよ」と教えてくれました。パカっと口を開けた貝殻はトングの要領で身を挟むのにぴったり。そういえば、ザジもこんな風にして食べていたっけ。今でもムール貝を食べるたびに、この時のことを思い出します。

11月23日

お惣菜屋さんは強い味方！

25～49歳の女性の8割以上が働いており、共働き家庭が大半のフランスでは、たまに家政婦さんに掃除を頼んだり、子どもをシッターさんに預けたりすることはそんなに珍しくありません。食事にはピカールなどの冷凍食品を活用する→ 37/365 ほか、町のお惣菜屋さんも大活躍します。

「Traiteur《トレター》」と呼ばれるお惣菜屋さんに行けば、カナッペやテリーヌ、フォアグラ、各種サラダなどの前菜から、お肉のローストや魚料理のメイン、そしてデザートまで一通りすべてそろいます。しかも、家ではなかなか作れないような手の込んだ品が多いので大満足です。

「Traiteur chinois《トレター シノワ》」と呼ばれる中華の惣菜屋さんもすっかり浸透しています。揚げ春巻やチャーハン、肉や野菜の炒めものなどはフランス人も大好きで、ちょっと気分を変えたいときにありがたい存在です。

24 | novembre

238 / 365

11月24日

フレンチ・トーストは残り物グルメの王道

混ぜ合わせた牛乳と卵、砂糖にパンを浸して、たっぷりのバターをしいたフライパンで焼き上げるフレンチ・トーストは、その名の通りフランスでごく一般的なメニュー。フランス語で「パン・ペルデュ（Pain perdu）」、つまり「ダメになったパン」という名前で呼ばれているところからもわかるように、固くなったパンの救済レシピです。カチカチになったバゲットが、牛乳と卵、バターの力でこんなにもおいしくよみがえるとは！ サロン・ド・テで出されるパン・ペルデュも絶品です。バニラが香る卵液にやわらかなブリオッシュを浸して、外はカリッ、中はフワッと焼かれ、焦げ具合も絶妙。ジャムやキャラメルソースをかければさらにおいしくいただけます。あの「ラデュレ」のサロン・ド・テでは、パティスリーよりもパン・ペルデュを目当てに来る人が多いとか。残り物グルメとしても絶品スイーツとしても、パン・ペルデュのおいしさは永遠です。

25 | novembre

239 / 365

11月25日

キラキラ輝くパリのクリスマス

オスマン通りの二大デパートからスタートしたパリのクリスマスシーズン→ 222/365がより本格的になるのが、シャンゼリゼ大通りのイルミネーションが点灯する11月末。毎年、パリ市長やゲストスターの立ち会いのもと、大々的に点灯式が行われます。ライトアップされた凱旋門を背景に、大通り沿いの並木400本がイルミネーションに彩られる姿は、ぜひ一度は見てみたい美しい光景。このときばかりは車のライトさえも演出のひとつかと思うほど、シャンゼリゼ全体がキラキラと輝きを放ちます。点灯は午後5時から夜中の午前2時まで。夕方6時頃にはすっかり真っ暗になる季節なので、夜遅くに出歩くのは避けたいという人でも、早めの時間に楽しむことができます。

シャンゼリゼ大通りのイルミネーションを眺めた後は、モンテーニュ通りにも足を延ばしてみてください。高級ホテルやブティックが軒を連ねるこのシックな通りのイルミネーションも、とても素敵です。

26 | novembre

240 / 365

11月26日

カフェのいろいろ

「アン カフェ シルヴプレ」というフレーズでおなじみのスタンダードな「Café《カフェ》」は、小さなカップに入ったエスプレッソのこと。きちんと「Espresso《エスプレッソ》」と注文しても同じものが出てきます。2倍の量を飲みたい人は「Double《ドゥブル》」。伸ばしたカフェを意味する「Café allongé《カフェ アロンジェ》」はエスプレッソにお湯を加えたもので、「Américano《アメリカノ》」とも呼ばれます。ちなみに、日本のアメリカンのようなドリップコーヒーは、一般的なカフェではまず存在しません。「Café au lait《カフェ オ レ》」は自宅で朝飲むものという意識が強いためか、不思議なことにカフェでは滅多に見かけず、代わりに「Café crème《カフェ クレーム》」を頼みます。エスプレッソに冷たい牛乳をちょっとだけ入れたものは、ヘーゼルナッツのような色から「Noisette《ノワゼット》」と呼ばれます。カフェインレスの「Décaféiné《デカフェイネ》」は「デカ」と略しても伝わります。他にも、「Cappuccino《カプチーノ》」や生クリームがのったウィーン風「Viennois《ヴィエノワ》」も定番。

11月27日

バスの車窓からパリを楽しむ

街並みを眺めながら移動でき、観光スポットの近くまで行けるバスは、乗りこなせばとても便利。路線や停留所が多くてややこしいので、初心者には少しハードルが高いですが、メトロだと乗り換えが多いけれどバスなら直通で行ける、なんてことも多々あるので、試してみる価値は大いにあります。パリ市内には約60の路線があり、昼間は5〜15分間隔で運行しています。メトロと同じチケットまたは非接触ICカード（Navigo《ナヴィゴ》）が使え、バスとバスの乗り継ぎは1時間30分以内なら無料。乗るのは前のドアから、降りるのは中央のドアからです。乗ったら刻印機にチケットを入れるか、ICカードリーダーにタッチします。次のバス停で降りたいときは車内のいたる所にある赤いボタンを押し、前方のランプ（Arrêt《アレ》 demandé《ドゥマンデ》）が点灯したのを確認します。渋滞で遅れる場合もあるので急ぎのときはメトロがおすすめですが、時間に余裕のあるときはのんびりバスの旅もいいものです。

11月28日

アンドレ・ジャルダンの卓上ブラシ&ちりとり

パンくずを集める「ラマス・ミエット（Ramasse-miettes）」は、毎日何度となくお世話になる、フランスならではの道具のひとつ。皮がパリッとしたバゲットは、何ものにも代えがたいおいしさですが、切ったり食べたりするたびにパンくずが思った以上に飛び散って、後片付けが少し面倒。ささいなことですが、手の平でかき集めるよりも道具を使うことで、ストレスが軽くなります。

ブラシを前後に転がして一体化したケースにパンくずを収めるタイプが一般的ですが、私のお気に入りは、創業100年の老舗ブラシメーカー「アンドレ・ジャルダン」の超シンプルなブラシとちりとりのセット。馬のたてがみを用いたブラシは適度な硬さと弾力性があり、粉まできれいに集められるし、何よりも伝統の技と手になじむモダンなデザインが見事に融合しているところに惚れ込んでいます。

29 | novembre

243 / 365

11月29日

主張しないと存在しないも同然！

フランスにも引っ込み思案な人や口下手な人もいるので、一概には言えませんが、何事にも自分の意見を持ち、人の目を気にせずに堂々と述べる人が多い傾向は確実にあります。全体の調和も大事だけれど、人それぞれの個性が重視される社会であることも関係しているかもしれません。フランスに住み始めた頃は、まわりのフランス人の自己主張に圧倒されて、自分が透明人間になったような気持ちになることが何度もありました。映画を見た後に「どう思った？」と感想を聞かれても、すぐに考えがまとまらず、「面白かった／つまらなかった」ぐらいのことしか言えない自分にイライラしたものです。鑑賞直後から映画評論家ばりの感想を語り合うフランス人たちを見て、「この人たちとは脳の回路が違うのかも…」と諦めの境地でした。そんな私もこの国に住んで20年ほど経ち、以前に比べれば随分自分の意見や気持ちを表に出せるようになりましたが、まだまだ修行中です。

30 | novembre

244 / 365

11月30日

マルシェ・ド・ノエル

イルミネーションと並ぶクリスマスの風物詩といえばマルシェ・ド・ノエル（クリスマスマーケット）。11月の終わりから12月にかけて、街にかわいい屋台が並び始めると、クリスマスシーズンの到来を感じてワクワクします。フランスでは、発祥の地ドイツに近いアルザス地方のマルシェ・ド・ノエルが有名で、特にストラスブールのマルシェは1570年から続く長い歴史を誇ります。チュイルリー公園やパリ市庁舎前、サンジェルマン・デプレ駅前、東駅前などパリでも数多くのマルシェ・ド・ノエルが立ちます。ツリーのオーナメントやクレッシュ→ 256/365の人形、お菓子など、クリスマスに関わるさまざまなグッズが見つかるほか、ホットワインやホットオレンジなど寒い冬にうれしい飲み物や、チュロスやプレッツェルなどが買える食べ物の屋台も多く、日本のお祭りのような雰囲気です。マルシェ・ド・ノエルの灯りとにぎわいのおかげで、凍えるような冬の夜も楽しく乗り切れます。

1 | décembre

12月1日

フォアグラの季節がやってきた

フランスのクリスマスのごちそうに欠かせないのが鴨またはガチョウのフォアグラです。フランスが世界最大の生産国・消費国で、年中買えますが、フォアグラのテリーヌはキロあたり１万円はする高級品なので食べるのは年に一度、クリスマスだけという人も案外多いです。缶や瓶詰めを買うのが最も簡単ですが、自宅で生のフォアグラをソテーしたり、テリーヌを手作りしてしまう人もいます。玉ねぎやいちじくのチャツネを添えたり、甘い貴腐ワインと合わせたりするのが定番です。一方、鳥にたくさんの餌を与え、肝臓を肥大させて作られるフォアグラは、動物福祉の観点から批判の対象になることが近年増えており、例えばアメリカのニューヨークでは、2022年からフォアグラの販売や提供が禁止されることになりました。とはいえ多くのフランス人にとっては大切な食文化であることに変わりはなく、法律でも「保護すべきフランスの食の文化遺産である」と定められています。

2 | décembre

246 / 365

12月2日

クリスマスプレゼント選びに頭を悩ませる

12月を迎えると、プレゼント探しも佳境を迎え、デパートや家電量販店、おもちゃ屋さん、書店、化粧品店、宝石店など、ありとあらゆるお店が混雑し、ものすごい形相で足早に歩き回る人々が増え、ほのかに殺気立ちます。週末になると、パリのデパートなどは前に進めないほどの人混みで、「なぜ11月から余裕を持って準備しなかったのか」と毎年後悔の念に駆られます。

フランスでは、子どもはもちろんのこと、大人同士でもプレゼントを贈り合う家庭が多く、プレゼント選びは悩みの種。欲しいものを言い合える間柄であればまだよいのですが、義両親や兄弟のパートナーが集まるような大家族の場合は何かと大変です。喜ぶ顔を思い浮かべながら、いろんな品を選ぶ楽しみもありますが、贈り物には正解がないので本当に難しいものです。大きくなった子どもには、親から品物ではなく、お金や小切手を渡す家庭も珍しくありません。

3 | décembre

247 / 365

12月3日

宝石のようなマロン・グラッセ

フランスの伝統的なお菓子の世界で、チョコレートと並んで大事なのはコンフィズリーと呼ばれる砂糖菓子。その中でも王様と呼べるのが、栗を砂糖漬けにしたマロン・グラッセでしょう。口に入れるとほろりと崩れ、上品な甘みが広がる贅沢なお菓子です。その起源は諸説ありますが、ルイ14世の時代に、砂糖で煮た栗がヴェルサイユ宮殿に献上されたのが最初とも言われています。粒のそろった大きくて丸い栗の皮をむいて砂糖のシロップで煮た後、毎日少しずつ糖度を上げたシロップに漬け込んで、何日もかけてようやく完成する、とても手間のかかるお菓子。パリの有名店では1個500円ほどすることも珍しくなく、どのお店でも金色や銀色の包み紙に、宝石のようにひと粒ひと粒うやうやしく包まれています。お店によってそれぞれ特徴がありますが、個人的にはパトリック・ロジェのものがおすすめ。甘すぎず、栗のナチュラルな風味にバニラの香りが広がる幸せの味です。

4 | décembre

248 / 365

12月4日

フランス人のお酒の楽しみ方

「日本の飲み会は疲れる」と言うフランス人に会ったことがあります。確かにフランスでは、ワインを注がれた人がボトルを受け取って注ぎ返すことはないし、グラスを空けるタイミングもまわりに合わせるという暗黙の了解があるようです。食事に合わせてワインを楽しむため、ハイピッチで飲んで、お酒がなくなったらすぐに注文するというスピード感もありません。人を招いた場合、ワインを注ぐのはその家の主人の仕事で、たとえグラスが空になっても、客がボトルを手にとって招待主にワインを勧めたり、自分に注いだりすることはNG。気のおけない友人同士なら、「ワインもらっていい？」と断って注いでもらうか、自分で注ぐこともありますが、あんまり行儀が良いとは言えません。もちろん、招待した側がきちんと気配りできていることが大前提ですが。また、酔っ払って騒いでもよいのは学生までという意識があるのか、外食や招待されたときは自制しながら飲む人が多い気がします。

5 | décembre

12月5日

寒くたってテラス席LOVE

　ゴッホの名作『夜のカフェテラス』でも、南仏アルルの星空の下にぎわうテラス席が描かれているように、フランスの街の風景を思い描くとき、カフェやレストランの客席を歩道まで広げたテラス席は欠かせない要素のひとつ。テラス席の設置には許可が必要で、スペースは歩道の３分の１まで、広い歩道でも半分までしか許されていないのですが、時にはテラス席が広すぎて歩く場所があまりない歩道も。そんなルール違反が黙認されるほど、フランス人にとってテラス席は愛すべき存在なのかもしれません。気候の良い季節、日の光を浴びたり、気持ちのいい風に吹かれたりしながら飲むビールやコーヒーは格別ですが、たとえ真冬でもテラス席に座る人はたくさんいます。店側もヒーターを設置したり、ビニールの幕やガラスの衝立《ついたて》で囲ったりするので、どんなに寒くても大丈夫。こうなるともうテラス席ではないのではという疑問も湧いてきますが、外が見える解放感が何よりの贅沢なのです。

6 | décembre

250 / 365

12月6日

愛しのプロフィトロール

ビストロの定番デザートのひとつ、プロフィトロール。初めて食べたその日から今日まで、ずっと惚れています。お店によって細かな違いはありますが、パリのビストロで一般的なのは、横2つに割ったシュー生地でバニラアイスを挟み、その上から温めたチョコレートソースをたっぷりかけてサーブするもの。ソースの熱で溶け出したアイスクリームを落とさないように、ふわふわのシュー生地と一緒に口に運べば、熱さと冷たさ、甘さとほろ苦さが一気に押し寄せ、頭の中には「至福」の2文字しか浮かびません。

今、一番のお気に入りはモンマルトルにある大衆食堂「ブイヨン・ピガール」のプロフィトロール。大きめシューの中には、フランスでは珍しいソフトクリーム状のアイスが挟んであり、スクープですくう硬めのものとはまた違った食感で、チョコレートソースとの絡み具合が完璧です。

7 | décembre

© Culturespaces / E. Spiller

12月7日

あの名作の世界に没入できる美術館

2018年春、パリで初めてのデジタルアートの美術館「アトリエ・デ・リュミエール（光のアトリエ）」が、パリ11区、バスティーユとレピュブリックに挟まれた庶民的な界隈に誕生。あっという間に予約必須の人気スポットになりました。

かつては鋳造で栄えた工場だったという、高い壁に囲まれた1500㎡の広々したスペースをキャンバス代わりに、偉大な芸術家たちの作品群が壁、床、天井とあらゆる面にプロジェクターで投影され、よく知っているはずの名作すらも違った表情を見せてくれます。展示内容が毎年変わるのが特徴で、オープン時はクリムト、2019年はゴッホ、そして2020年はモネやルノワール、シャガールがテーマでした。床に座ったり、歩きまわったり、壁の前に立ったり、階段で中二階に上がって上から全体を眺めたりと、自由に芸術を体感することができる空間です。

8 | décembre

252 / 365

12月8日

「君の瞳に乾杯！」がフランス流

フランスで乾杯をする時に一番大切なのが、相手の目をきちんと見ること。グラスや手元の辺りを見ているのはダメで、相手としっかり見つめ合うぐらいの気持ちで乾杯します。大勢の時は一斉にグラスを合わせるのではなく、一人ひとりと目を合わせながら２人１組で乾杯し、順繰りに全員と乾杯します。その際、グラスを持つ手が他の乾杯中の２人とクロスしてしまうのもご法度で、タイミングを見計らいつつ、次に乾杯する相手を見つけて腕を伸ばすのにちょっとコツがいります。席が遠い人とは、目を合わせながらグラスを軽く上げて乾杯。よっぽど大きな音を立てない限り、グラスを触れ合わせるかどうかについてはその場の雰囲気で、他の人がどうしているかをまねるのがベター。ちなみに、日本と同じく、空のグラスや水を入れたグラスでの乾杯は避けたいところ。かけ声はいろいろですが、ひと言で簡単なのは「Santé《サンテ》」、友達となら「Tchin《チン》」でも OK。

9 | décembre

253 / 365

12月9日

アンディーヴ・オ・ジャンボン

アンディーヴのほろ苦さとハムの塩気、クリーミーなソースが絡み合って、シンプルだけどホッとするおいしさのグラタンです。

［材料］4人分
アンディーヴ：4個　大判のハム：4枚　ホワイトソース（市販のものでも）：約250g
とろけるチーズ、塩：適宜　ナツメグ：お好みで

［作り方］

1. 外葉とへたを取ったアンディーヴを、少量の塩を入れて沸騰させたお湯に入れて弱火～中火で約20分、ナイフがすっと刺さるやわらかさまでゆでる。
2. ゆで上がったアンディーヴはお湯をしっかり切り、ハムで1つずつ巻き、グラタン皿に並べる。
3. 別途準備したホワイトソースを上からたっぷりかけ、お好みでナツメグを振りかける。さらにとろけるチーズをまんべんなくのせる。
4. 200°Cに熱しておいたオーブンで約20分焼き、ソースがグツグツしてチーズに焼き色が付いたら出来上がり。

10 | décembre

12月10日

そろそろクリスマスツリーを飾る頃

マルシェやスーパーで、大小さまざまなもみの木が売り出され始めると、クリスマス気分がぐっと盛り上がります。枝葉が広がらないようにネットですっぽり包まれた形が、なんだかかわいらしいのです。「Sapin《サパン》 de《ドゥ》 Noël《ノエル》」と呼ばれるクリスマスツリーがフランスで広まったのは意外と遅い19世紀のことで、当時はクリスマスイブに飾り、１月初めの公現祭→ 281/365に片付けるものだったらしいのですが、現在は12月に入ると待ちきれずに飾り始める家も多いです。フランスでは本物の木を毎年買い替えて飾る家庭が多く、最初は驚いたものです。ツリーを飾る場所に合わせ、適度な大きさのもみの木を選び、買った木を抱えて家に帰る人たちの姿もこの時期の風物詩。ただ、暖房の効いた部屋に置いておくと、トゲトゲの葉っぱが少しずつ乾いて落ちてしまい、美しいもみの木の姿を眺められるのも２〜３週間が限度なのが、玉にキズです。

12月11日

ラ・ロシェールのエスプレッソグラス

どっしりとした亜鉛のカウンターに、無造作に積み上げられたデュラレックスのグラスは、フランスのカフェを象徴する風景のひとつ→ 204/365。ただここ数年、パリで人気のカフェに入るたびに、デュラレックスとは違うグラスを見かけるようになりました。スタッキンググラスの王道だったデュラレックスの座を奪いつつあるのは、創業1475年のフランス最古のガラスメーカーである「La Rochère《ラロシェール》」の「Zinc《ザンク》」という名のエスプレッソグラス。「Zinc」の特徴であるタンブラーを囲む15本の突起したラインは、飛行機のエンジンモーターからヒントを得たデザインで、熱い飲み物を入れても問題なく持てる工夫がされています。新進気鋭のデザイナーの斬新な発想と、老舗メーカーの確かな技術が絶妙に融合した小さな名品。ちょうど良いサイズ感と重量感、食洗機にも入れられる気兼ねのなさに加えて、オブジェとしての美しさも兼ね備えています。

12月12日

クリスマスツリーの下に必ずあるもの

フランスの家庭のクリスマスに、ツリー→ 254/365 とともに欠かせないのが「クレッシュ（Crèche）」。プロヴァンス地方の素朴な土人形、サントンを使い、キリスト生誕の場面を再現した模型で、ツリーの下に飾る家が多いです。馬小屋の中心にイエス・キリストを置き、まわりに母マリアとその夫ヨセフ、身重のマリアを運んだロバ、その息でイエスを温めた牛、天使が最初にイエス誕生を知らせた羊飼いと子羊たちを並べるセットが一般的。美しい大聖堂や教会を見てもわかるように、カトリックがフランスの文化に与えた影響は計り知れず、洗礼を受けた人は全国民の７割とも言われていますが、毎週教会に通うような信心深い人が減っている今、クレッシュを飾ることは大人にも子どもにも、クリスマスの宗教的な意味を再確認する機会なのかもしれません。多くの教会にも大きなサイズのクレッシュが飾られるので、この時期にフランスを訪れるならぜひ注目してみて。

13 | décembre

257 / 365

12月13日

風邪かな？ と思ったら…昔ながらの療法で

フランスの咳止め薬はシロップやトローチばかりで、錠剤やカプセルがありません。効き目がなく困っていたところ、友人に勧められた「Inhalation《イナラシオン》（吸入）」と呼ばれる昔から伝わる家庭療法を試してみたら、ひどかった喉の痛みがぴたりと止まり感動！ 以来、喉が痛くなったら即この方法を実践しています。必要なものは抗菌作用のあるユーカリをメインにしたエッセンシャルオイルとボウル、熱湯、大判タオル。ボウルに熱湯を注ぎ、そこにオイルを適量垂らします。目を閉じてボウルに顔を近づけ、タオルを広げて頭からボウルまでしっかりと覆って顔面サウナ状態にします。そこで鼻から思いっきり息を吸い込むと、強烈なアロマの蒸気にやられて恐ろしく咳き込む…ところをグッと我慢して、湯気がなくなるまで鼻から口への深呼吸を繰り返すと、喉の痛みや鼻づまりがスッと和らぎます。ボウルを寝室に置いて、朝まで良い香りに包まれて眠るのがおすすめ。

14 | décembre

258 / 365

12月14日

永遠のラ・プティット・ローブ・ノワール

月並みな言い方ですが、やっぱりフランス人はおしゃれ。それは、流行に敏感といった刹那的な感覚ではなく、長年かけておしゃれの筋トレを続けて、ブレない足腰を手に入れたかのような土台のしっかりとしたセンス。トライ&エラーの果てに、ついに自分に似合う定番を見つけた人たちです。そんな定番のひとつが、「ラ・プティット・ローブ・ノワール（La petite robe noire）」と呼ばれる黒いワンピース。この「プティット」は「小さい」ではなく「かわいい」を意味し、その服への愛着が感じられます。フランス人女性なら必ず１着は持っていると言われ、飽きのこないベーシックかつエレガントなデザインであれば、フォーマルからカジュアルまで活躍してくれる心強い勝負服になります。シンプルだからこそ、シルエットを美しく見せるデザイン選びが大切で、合わせるアクセサリーやバッグ、靴でどんな変化を付けるかもさらなる腕の見せどころです。

15 | décembre

12月15日

中世から愛され続けるフラン

ポルトガルのエッグタルトやイギリスのカスタードタルトなどと同列の、フランスのパティスリーといえば「フラン（Flan）」。中世の昔から存在して、全国どこのパン屋さんでも売っている素朴なお菓子です。卵、牛乳、砂糖を混ぜてコーンスターチまたは小麦粉でとろみを付けたバニラ風味のカスタードクリームを、パイまたはブリゼ生地の型に流して焼いたもので、表面にこんがり焦げ目がついているのが特徴。どこか懐かしさを感じさせる卵の優しい風味と、フランスのパティスリーにしては控えめな甘さで、子どもも大人も大好きです。

シンプルなお菓子ほど奥が深いのはフランも同じで、実は、そこまでおいしくないお店の方が多いくらいな気がします。特にこだわりたいのはカスタード部分の舌触りとバニラの香り。クリームが限りなくなめらかで、バニラビーンズの香り高いフランに出会ったときはとても幸せです。

16 | décembre

260
/
365

12月16日

寒い日にはショコラ・ショー

凍えるような寒い日に一番飲みたいのは「ショコラ・ショー(Chocolat chaud)」。そのまま「ホットなチョコレート」という意味です。普通のカフェで注文すると、たいていは温かいミルクにカカオパウダーを入れて混ぜた普通のココアが出てきて、それはそれでおいしいのですが、本物のショコラ・ショーを味わいたいなら、「Chocolat《ショコラ》 chaud《ショー》 à l'ancienne《アランシエンヌ》(昔風のショコラ・ショー)」があるサロン・ド・テに行きましょう。例えばモンブランが名物の老舗「アンジェリーナ」は、ショコラ・ショーも有名。一度、誘惑に負けてモンブランとショコラ・ショーの両方を注文したら、さすがに鼻血が出そうになりました。それくらい本物は濃厚なのです。

もちろん家で作ることも可能。材料は、ブラックチョコレートと牛乳、生クリーム、そしてカカオパウダーを少しだけ。よく混ぜながら温めると、とろりとなめらかな本物のショコラ・ショーが出来上がります。

12月17日

パリ観光した気分になれる映画 その2

外国人監督が描くパリの景色は、憧れや恐れ、日常から切り離された独特な浮遊感が感じられ、フランス映画とは違った魅力にあふれています。世界各国18人の監督が手がけたオムニバス映画『パリ、ジュテーム』は、たった5分ほどの物語に各監督のカラーが色濃く出ています。ウッディ・アレン監督の『ミッドナイト・イン・パリ』は、「時間旅行」という幸せな体験をさせてくれる、彼のフランス愛が詰まった傑作。パリで再会したアメリカ人男性とパリジェンヌの数時間を丁寧に描く『ビフォア・サンセット』は、会話しながらパリの街をあてもなく歩く2人の姿に旅情を覚えます。パリで撮影された1987年の日本映画『アラカルト・カンパニー』は映画的な誇張はあるものの、当時のパリ在住日本人の空気感を切り取っています。ヘップバーンがキュートな『パリの恋人』や『シャレード』もマスト。

12月18日

パリの地下をのぞく

パリの歴史は地面の下にも広がっています。パリの地下は何世紀にもわたり、建築材料の石を切り出す採石場でした。18世紀後半、衛生状態が悪くなっていた市内の墓地の遺骨をこの採石場跡に移すことが決まり「カタコンブ」が誕生。地下20mのこの納骨堂に600万人の遺骨が納められています。大小さまざまな人骨に埋め尽くされたギャラリーは一見おどろおどろしくも感じますが、ここに眠る1人ひとりが今のパリを作り上げていったのかと思えば、なんともありがたい気持ちが湧いてきます。別の視点からパリの地下を体験できるのが下水道博物館。実際に使われている下水道の一部を見学しながらパリの下水の仕組みを学べます。奥に進むにつれ、本物の下水のそばを通るので匂いがきつくなりますが、地上と同じ道路標示の看板があったり、「レ・ミゼラブル」でジャン・ヴァルジャンが下水道を通って逃亡する様子を描いたパネルが展示されていたりと、ワクワクする経験です。

ホリデーシーズンに欠かせない海の幸

大西洋や地中海で魚が豊富にとれ、牡蠣やムール貝などの養殖も盛んなフランスですが、普段の食卓では肉料理がメイン。かつてはキリストが亡くなったとされる金曜日は肉食が禁じられており、代わりに魚を食べる習慣が残ったそうですが、逆に言えば魚を食べるのは週1回ぐらい、という家庭が多いかもしれません。そんなフランス人が1年で一番魚介類を食べるのが、クリスマスから大晦日にかけて。中でも「Plateau《プラトー》 de《ドゥ》 fruits《フリュイ》 de《ドゥ》 mer《メール》」と呼ばれる「海の幸のプレート」は、年末のお祝い気分を盛り上げる華やかなメニュー。生の牡蠣、アサリ、ハマグリ、ムール貝、塩ゆでしたバイ貝やタマキビ貝、数種類のエビ、イチョウガニなどが大皿に盛りつけられて登場。レモンやワインビネガー、マヨネーズと一緒に食べます。オマールエビやイセエビ、ウニも加われば最高級。白ワインとの相性も抜群で、冬にフランスを訪れたら一度は味わってほしい、フランスならではの一品です。

20 | décembre

264
/
365

12月20日

コーラは薬!?

フランスで一般的な民間療法のひとつに、「お腹の調子が悪いときはコーラを飲む」というのがあります。おばあちゃんの知恵のようなものかと思っていたら、ある時、お医者さんにもコーラを飲めとアドバイスされて驚きました。元来コカ・コーラは医療用に開発されたと聞いたことがありますが、今でもそんな効用があるのかは謎。けれどこれだけ長い間、たくさんの人が試し続けているのだから、きっと効果はあるのでしょう。冷たくシュワっとしたものではダメで、炭酸を抜いた状態の常温のコーラを飲むのですが、あのコーラ独特のおいしさが感じられない甘ったるい飲み物になってしまうのが残念。炭酸を抜くには、グラスに注いだコーラをスプーンなどでぐるぐるとかき混ぜたり、古くなったカチカチのバゲットを入れたりと、いろいろな方法があって面白く、クリスマスから大晦日、お正月にかけて連日ごちそうが続くこのシーズンに、知っておいて損のない生活の知恵です。

21 | décembre

265 / 365

12月21日

年末年始のご挨拶をフランス語で

クリスマスが近づいてくると、知り合い同士はもちろん、お店で買い物をした後などにも「Joyeux Noël《ジョワイユー ノエル》（楽しいクリスマスを）」と声を掛け合うことが増えます。「Joyeux」は英語の「Merry《メリー》」と同じで「楽しい」「陽気な」という意味です。クリスマス前から大晦日までの時期に使える「Bonnes fêtes《ボンヌ フェットゥ》（良いお祭りを）」や「Bonnes fêtes de《ボンヌ フェットゥ ドゥ》 fin d'année《ファン ダネ》（年末の良いお祭りを）」というフレーズもあります。キリスト教信者でない人もたくさんいるフランスでは、「クリスマス」ではなく「お祭り」とぼかしたこちらの表現もよく使われます。

年始の挨拶の定番は「Bonne année《ボナネ》」。直訳すると「良い年」で「あけましておめでとう」にあたります。英語の「Best wishes《ベスト ウイッシーズ》」にあたり、最上の幸福や健康や成功を祈るという意味の「Meilleurs vœux《メイユーヴー》」も付け加えれば完璧です。

22 | décembre

266 / 365

12月22日

ビュッシュ・ド・ノエル

クリスマスの食卓の最後を飾るのが「ビュッシュ・ド・ノエル(Bûche de Noël)」。木の切り株（Bûche《ビュッシュ》）に見立てたロールケーキに、斧やきのこ、小人《こびと》など、森をイメージした小物で飾るのが定番です。最近はスポンジ生地にチョコレートやバニラ風味のバタークリームを塗った、どっしり甘い伝統的なスタイルのものは少なくなり、甘さ控えめの洗練されたビュッシュが人気。豪華な食事の後でもさっぱりと食べられるアイスケーキを選ぶ人も増えました。そのデザインも、定番の切り株を発展させたものから「これがビュッシュ？」と驚かされるものまで、どれも個性的で眺めているだけで楽しい気分になります。

人気パティシエが作る創作ビュッシュから、近所のパン屋さんや冷凍食品店の庶民的なビュッシュまで、味も形も値段もたくさんのチョイスがあって、どれを選ぶか毎年迷うのが楽しみです。

267 / 365

12月23日

フランスのクリスマス映画といえば

この季節になると決まってテレビで放映されるのが『サンタクロースはゲス野郎（原題：Le《ル》 père《ペール》 Nöel《ノエル》 est une ordure《エチュノルデュール》）』という1982年の喜劇映画。日本ではDVD化されていませんが、フランスでは世代を超えて愛され続けるクラシック中のクラシック。イブのパリを舞台に、「命の電話相談室」を訪れる奇妙な人々が繰り広げるドタバタ劇は、当時人気だった演劇集団「ル・スプランディド」の舞台が原案で、同じ役者陣で映画化されました。彼らは今もフランス映画界の大御所として活躍しています。

他にも『ブッシュ・ド・ノエル』『８人の女たち』『シェルブールの雨傘』、そして隠れた名作『クリスマス・ツリー』などがありますが、クリスマスを舞台にしたフランス映画ってしんみりしたものが多いような。大笑いできるクリスマス映画は貴重なのかもしれません。

268 / 365

12月24日

イブの過ごし方

フランス人にとって、クリスマスは家族そろってお祝いする日。普段は離れて暮らしていても、24日には帰省する人が多く、日本の大晦日のような雰囲気です。祝日ではないため、平日なら通常通り仕事をしますが、定刻より少し前に退社することも珍しくありません。一日中大忙しだった商店も早く閉まり、イブの夕方はごちそうやプレゼントを抱えて家路に急ぐ人々の、ソワソワした独特な空気が漂います。ディナーの前菜は、シャンパンにフォアグラや生牡蠣といった普段あまり食卓に並ばない高級食材を楽しみます。メインはさまざまですが、シャポン（去勢鶏）やプーラルド（肥育鶏）といった希少な鶏肉の丸焼きは特別感のあるメニューとして好まれます。デザートはビュッシュ・ド・ノエルが定番→ 266 / 365。少数派ではあるものの、レストランで特別なディナーを楽しむ人もいます。プレゼントは翌朝もみの木の下に積んでおくのが一般的ですが、イブの夜に渡す家庭もあります。

25 | décembre

269 / 365

12月25日

家族で過ごす大切なノエル

子どもたちにとってこの日は、なんと言っても「Père《ペール》 Noël《ノエル》（サンタクロース）」からのプレゼントが届く日！ 朝目覚めたら、一目散にもみの木に駆け寄り、積み上げられた箱を見て大はしゃぎ。子どもがいる家庭では、寝ている間にサンタさんが来てくれた、という演出に毎年工夫を凝らします。

25日は祝日で、会社だけでなく、スーパーやデパート、商店、カフェ、レストラン、美術館が軒並み閉まり、街はとっても静かです。朝、教会で行われるミサに出かける信仰心の厚い人々もおり、いつもとは少し違った厳かな空気が漂います。

もらったばかりのおもちゃで遊んだり、久しぶりに再会した家族とおしゃべりしたり、ごちそうを食べたりと、過ごし方は人それぞれですが、のんびりと一家団欒を楽しむのがフランスらしいクリスマスの情景です。皆さんも、JOYEUX《ジョワイユー》 NOËL《ノエル》！

26 | décembre

270 / 365

12月26日

スーパーで買えるおいしいお菓子

現地のスーパーに行くのは海外旅行の楽しみのひとつ。フランスでもスーパー探検は必須です。中でも、食品、雑貨、衣料、コスメ、書籍と幅広く、しかもセンス良くセレクトされた商品が見つかる「モノプリ」がおすすめです。

おみやげ探しならぜひお菓子コーナーへ。プチプラでも十分おいしいフランス名物がたくさんそろっています。例えば薄いクレープをくるっと巻いて焼いた「Gavotte《ガヴォット》」や、バターの風味豊かなクッキー「Galette《ガレット》」はみんな大好きな味で、どちらもブルターニュ地方の伝統菓子。さまざまなメーカーのものがあって迷ったときは、モノプリのプライベートブランド「Monoprix Gourmet《モノプリグルメ》」を選ぶのも手。あまりハズレがありません。ボンヌ・ママン→ 66 / 365のクッキーやマドレーヌなどの焼き菓子も安定したおいしさです。フランス版のポッキー「Mikado《ミカド》」も話の種に買ってみると楽しいかもしれません。

27 | décembre

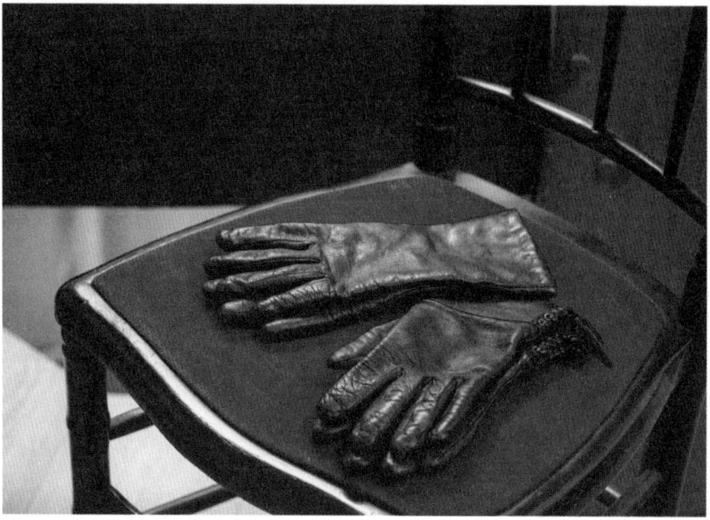

271 / 365

12月27日

バック通りの手袋屋さん

パリに来て初めての冬に、左岸のバック通りにある小さなお店で２組の手袋を買いました。ウインドウには靴下や雨傘などもにぎやかに飾られており、手袋屋さんというよりは町の小物屋さんという風情。カウンター奥に座るマダムに手袋を探していると伝えると、私の手をちらっと見て、棚にぎっしりと仕舞われた革手袋の中からいくつか見つくろってくれました。マダムは私の手を取り、しずしずと手袋をはめてくれ、指の一本一本を丁寧になでながら指先が奥まで届いているか確かめます。まるでお姫様にでもなったような、くすぐったい気持ちになると同時に、昔読んだ森茉莉のエッセイにも同じような描写があったことを思い出して感激しました。そして、私の手をひと目見ただけで完璧な手袋を選んだマダムのプロフェッショナリズムにも驚かされました。サイズがぴたりと合うことを「手袋のよう」→ 363/365と例える表現を聞くたびに、この日のことをふと思い出します。

28 | décembre

272
/
365

12月28日

フランス王国の栄光を今に伝える宮殿

パリの中心からRER《エールウーエール》（郊外電車）で30～40分の場所にあるヴェルサイユ。この街まで足を延ばす最大の目的はもちろん、1979年ユネスコ世界遺産に登録され、フランスだけでなく世界の宝とも言えるヴェルサイユ宮殿です。絶対王政を確立し、栄華を極めた太陽王ルイ14世がその絶頂期に建築家のル・ヴォー、造園家のル・ノートル、画家・装飾家のシャルル・ル・ブランという当時最高の職人たちに建てさせたこの宮殿は、革命を経てフランスが王国から共和国になり、現代に至るまでの歴史の証言者でもあります。その敷地は広大で、国王や王妃の居室や鏡の間など必見スポット目白押しの宮殿内はもちろん、バラエティに富んだ風景が見られる庭園もゆっくり散策してほしい場所。宮殿の見学が終わったら、すぐパリに帰らず、ぜひヴェルサイユの街歩きをして、王侯・貴族が暮らした宮殿とともに発展してきたこの街の歴史とエレガンスを肌で感じましょう。

12月29日

おうちで楽しむフランス

自宅にいながらフランスの生きた情報を楽しめるサイトを紹介。

◆BFM TV　https://www.bfmtv.com
2005年に開局した24時間放送のニュース専門チャンネル。DIRECT TVをクリックすると放送中のテレビ番組を観ることができます。

◆ネットラジオのリンク集　https://tricolorparis.com/plus/media/radio/
主要なフランスのラジオ局のサイトをまとめたページ。毎日のBGMとしてフランス音楽やニュースを楽しんで。

◆Taratata《タラタタ》　https://mytaratata.com
90年代から続く人気音楽番組。貴重なインタビューやライブを無料で堪能できます。

◆Google Arts & Culture　https://artsandculture.google.com
エッフェル塔、オルセー美術館、オランジュリー美術館、ヴェルサイユ宮殿、オペラ・ガルニエなど、有名スポットの作品鑑賞やバーチャルツアーが楽しめます。

◆INA　フランス国立視聴覚研究所→303/365　◆Gallica→339/365

12月30日

変わり種の博物館

パリで見つかるちょっと変わり種の博物館をいくつかご紹介します。

◆Musée《ミュゼ》 de《ドゥ》 l' Illusion《リリュージョン》（イリュージョン博物館）
2019年開館の目や脳の錯覚を利用した体験型ミュージアム。日本の「びっくりハウス」に似ているけれど、内装がモダンでおしゃれなのでインスタ映え必至。

◆Musée《ミュゼ》 de《ドゥ》 la《ラ》 Magie《マジ》（手品博物館）
手品に関するものが世界中から集められ、昔ながらの手品ショーも見学できる博物館。

◆Musée《ミュゼ》 des Arts《デザール》 Forains《フォラン》（縁日博物館）
19世紀末から20世紀初めのお祭りや移動遊園地を再現した博物館。予約制で、歴史あるメリーゴーランドやゲーム台で遊べる夢のような場所。

◆Musée《ミュゼ》 de《ドゥ》 la《ラ》 Contrefaçon《コントルファソン》（偽物博物館）
洋服や化粧品、電化製品、美術品などの偽物を本物と並べて展示する博物館。数多くの有名ブランドを抱えるフランスでは、コピー製品の取り締まりは死活問題です。

31 | décembre

275 / 365

12月31日

友達とワイワイ過ごす大晦日

気の合う仲間と集まって、にぎやかにパーティーをして過ごすフランスの大晦日。年末年始に休業する企業は珍しく、31日が平日の場合は通常通りに仕事をしてから、パーティーに出かけることになります。ディナーにはクリスマスほどの定番はなく、とっておきのワインやシャンパンに合う、腕によりをかけたごちそうが並びます。お祭り気分が最高潮となる新年へのカウントダウンは、年が明けた瞬間に「Bonne année《ボナネ》」の声があちこちで飛び交い、頬にビズをし合って、新しい1年の幸せと健康を願います。毎年ものすごい人出のシャンゼリゼ大通りの様子はテレビで生中継され、カウントダウンと凱旋門の花火を楽しみにしている人も多いです。午前0時に、家族や友人に新年のメッセージを送る人が殺到するため、SMS（ショートメール）や電話がつながらない…というのも毎年恒例です。

1月1日

Bonne année！フランスの元日

「Jour de l’an《ジュールドゥラン》（年の日）」と呼ばれる元日は、フランスでももちろん、学校も会社もお休みの祝日。でも、「初日の出」や「初夢」や「初詣」など、その年一番最初のことを大切にする日本と比べると、新年を迎える清々しさのようなものがあまりないのは否めず、日本の初詣のように、元日に教会で行われるミサに行く習慣のある人もそこまで多くはありません。どちらかと言うと、前日の大晦日に夜通しワイワイ楽しんでしまい→275/365、目が覚めたらもうお昼だった…なんていう元日を過ごす人が多そうです。

とはいえ、新年の挨拶はフランスでも大切。「良い１年になりますように」という「Bonne année《ボナネ》」や、幸福と繁栄を祈る気持ちを込めた「Meilleurs vœux《メイユーヴー》」などのフレーズが飛び交うひと月となります。

2 | janvier

1月2日

元日を過ぎれば、あっけなく通常モード

四季を感じさせる風景があり、豊かな食文化があり、さまざまな伝統行事があるフランスは、日本と似ているところも多く、その点では比較的なじみやすい国だと思いますが、お正月のあっけなさだけは何年住んでいても慣れません。年明けまでクリスマスの飾りをそのままにしておく家がほとんどで、正月飾りの伝統はなく、おせち料理やお雑煮のような、お正月ならではの食べ物も特にありません。日本ならこたつに入って、テレビの正月番組を見ながら届いた年賀状を眺めているはずの１月２日、フランスでは何事もなかったかのように通常モードに戻り、大人たちは仕事始め。デパートやスーパーなどのお店、銀行や郵便局も営業を再開します。学校のクリスマス休暇が１月第１週の終わりまで続く子どもたちだけが、お正月気分をのんびり味わえるというわけです。

3 | janvier

278
/
365

1月3日

フランスにもあるお年玉

フランスと日本のお正月の意外な共通点に「お年玉」があります。「Étrennes《エトレンヌ》」と呼ばれるこの習慣、子どもや孫にあげるというよりは、マンションの管理人や清掃スタッフなど、日常的にお世話になっている人たちに、お正月のタイミングで追加の謝礼を渡すことを指します。物の贈り物を大事にし、現金のやりとりを避けるフランスでは例外的なしきたりと言えるでしょう。年末から元旦にかけて、郵便配達員や消防士たちが一軒一軒を回り、カレンダーを売りに来るのも同じような意味の習慣。定価はなく、買う人が支払う額を決められるシステムで、10 ユーロ程度が相場のようです。もちろん買う義務はないのですが、去年お世話になったお礼と今年1年もよろしく、という気持ちを込めて、たとえカレンダーが不要でも、「Étrennes」のつもりで購入するのが慣習となっています。

4 | janvier

279 / 365

1月4日

ムッシューとマダムを使いこなそう

「ムッシュー（Monsieur）」は男性に、「マダム（Madame）」は女性に対する敬称で、苗字の前に付けて使うイメージが強いですが、意外といろんなシーンで活用できる便利な単語です。「ボンジュール、ムッシュー」や「メルシー、マダム」という風に、挨拶したりお礼を言ったりするときに、性別に合わせた敬称を付けるだけで格段と丁寧に感じられ、印象が良くなります。これは逆にも通じることで、自分が客の立場であるとき、マダムを付けずにスタッフからお礼を言われると、ちょっとぞんざいに扱われているのかな？と気になります。見知らぬ人に対して「ムッシュー、シルヴプレ」と話しかけたり、何か落し物をした女性を「マダム！」と呼び止めたりするときに、苗字を知らなくても使えます。ちなみに、「マドモワゼル（Mademoiselle）」は若い女性に使われる敬称ですが、よっぽど幼く見えない限り、マダムを使っておくのがベターです。

5 | janvier

280 / 365

1月5日

意外と知られている十二支

十二支を知っているフランス人は案外多く、「中国の星座」と呼ばれ、自分の生まれ年の動物を言える人もまれにいます。年末に中華料理屋に行くと、西暦と十二支のリストが書かれた新年のカレンダーをプレゼントされることがあり、それぞれの生まれ年を探してひとしきり盛り上がっている人たちをよく見かけます。フランスで十二支が少しずつ浸透しているのは、このカレンダーのおかげかもしれないと勝手に思っています。

日本では年賀状の絵柄としておなじみですが、フランスでは中国の旧正月（１月末から２月後半にかけて）をお祝いする頃に、「今年は酉年だ」というような話を雑誌やテレビで目にする機会が増えます。フランス語ではヒツジの代わりに山羊（Chèvre《シェーヴル》）、イノシシの代わりに豚（Cochon《コション》）が当てはめられるので、未年と亥年の人がフランス語で話すときは、山羊年、豚年と言ってみましょう。

1月6日

誰が王冠をかぶる？ 真剣勝負のガレット

１月６日は、東方の三賢人が幼子イエスを訪問・礼拝したことを記念するキリスト教の祝日「Épiphanie《エピファニー》（公現祭）」で、「Galette《ガレット》 des《デ》 rois《ロワ》（王様たちのパイ）」を食べる伝統があります。アーモンドクリームが入った焼き菓子で、中に「Fève《フェーヴ》（そら豆）」という陶製のマスコットが１つ隠されています。人数分切り分け、そこにいる人の中で一番若い人が机の下に隠れ、ガレットを見ずに誰がどのピースを食べるのかを決めます。フェーヴが当たるとその１年幸運が訪れると言われ、「Roi《ロワ》（王様）」または「Reine《レーヌ》（女王様）」となり、ガレットに付いてくる紙製の王冠を頭にのせます。大人も子どもも一緒に盛り上がれる楽しい習慣です。定番のアーモンドクリームからリンゴやチョコレートなどの変わり種まで、地方によってはパイではなくブリオッシュのものもあり、バリエーション豊か。１月６日当日だけでなく、12月末から１月いっぱいにかけて何度も楽しむお菓子です。

1月7日

冬の定番メニュー、ラクレット

寒い季節に何度となくフランスの食卓に登場する「ラクレット」は、日本の鍋料理のような冬の定番メニュー。今ではすっかり日本でも知られる存在となりましたが、レストランで提供されるような大きな半月型のチーズを溶かして削って食べるスタイルよりも、家庭でラクレット専用の卓上グリルを使って楽しむのが一般的です。

四角くカットされたラクレットチーズはスーパーで簡単に手に入り、プレーンの他に黒胡椒入り、スモークしたものなどさまざま。チーズ屋さんでお気に入りのチーズをスライスしてもらう人もいます。丸ごとゆでたじゃがいもとロースハムや生ハムなど、いろんな種類のハムを準備して、溶かしたチーズを上にかけて食べるのですが、家庭によって定番の具材があるので、お呼ばれした時にちょっとした発見があるのも楽しいです。

8 | janvier

1月8日

年賀状はゆっくりめ

年末年始に送るグリーティングカードを「Carte de vœux《キャルトドゥヴー》」と言います。直訳すると「願いのカード」で、新年が良い年になるよう願うのが目的なので、日本の年賀状と似た役割です。「クリスマスカードじゃないの？」と思われるかもしれませんが、新年を迎える挨拶とともにクリスマスを祝うことはあっても、クリスマスのみを祝う「Carte de Noël《キャルトドゥノエル》」を送る人は意外と少ない印象。また、日本の年賀状ほどたくさんの人がやりとりをしているわけではなく、送るとしても家族や親戚、親しい友人など、限られた人宛てだけのようです。フランスの「Carte de vœux」と日本の年賀状の決定的な違いは、送るタイミング。日本では年末早めに投函して元旦に届くのが理想ですが、フランスでは1月に入ってからのんびり投函してもまったく問題なく、下旬に届くこともよくあります。お正月気分はあっという間に終わる→277/365けれど、カードを書くのは焦らなくてもいいのです。

9 | janvier

284
/
365

1月9日

バターをかじる醍醐味

フランスに暮らし始めた頃こそ、ナイフで分厚くカットしたバターを何の躊躇もなくフライパンに入れるフランス人を見てギョッとしていたものですが、その分厚さこそがおいしさの秘訣だと思ってしまうほど、すっかりバター信者になりました。

バターの厚みと言えば、パンを食べるときにも自分なりの大切なこだわりがあります。もはや「塗る」のではなく、5ミリ程度にカットしたバターをバゲットの上に「のせ」、バターナイフで伸ばすことなくそのまま食します。濃厚な乳の香りをかぎながら、ほんのり冷たいバターの感触を歯に感じる瞬間はまさに至福のとき。バターを味わうためにパンを食べているのじゃないかと錯覚してしまうほど、このバターを「かじる」行為は一度知ってしまうとやめられません。毎朝、罪悪感と戦いながらバターをかじり続けています。

1月10日

ツリーたちの第二の人生

12月に飾ったクリスマスツリー→254/365を片付ける時期になりました。枯れて用無しになったもみの木が歩道の片隅に捨てられているのが1月のよくある光景でしたが、ここ数年ようやくエコの意識が高まり、リサイクルに出す人が増えてきました。例えばパリ市では12月末から1月末まで市内164カ所にリサイクルコーナーを設置し、2019年には11万本ものもみの木が回収されました。集められたもみの木はその場で粉砕され、パリ市の公園の土を改良するために活用されます。日本では当たり前の、フェイクのもみの木を使う家ももちろんあり、どちらがよりエコなのかについては議論が分かれますが、温室効果ガス排出量を考慮すると、プラスチック製よりも本物のもみの木のツリーの方が環境に優しいという説が現在は有力なようです。もみの木が放つ爽やかな匂いをかぎながらクリスマスを過ごしたい多くのフランス人たちも、ホッとしているに違いありません。

11 | janvier

286 / 365

1月11日

冬の定番メニュー、ラクレット その2

クリスマスから大晦日にかけて、ごちそう続きの日々が過ぎたこの頃になると、手間をかけずにみんなでワイワイと楽しめるラクレットが恋しくなります。じゃがいもさえゆでれば後は特別な調理の必要がなく、本当にラクチンなメニューです。282 / 365 で日本の鍋のような存在と書きましたが、チーズフォンデュよりも身近な料理で、あくまでも私の肌感覚ではありますが、フォンデュ鍋はなくても、ラクレット専用の卓上グリルはあるという家庭が多いような気がします。

卓上グリルは2～10人用、円形や長方形などサイズも形もいろんな種類があり、フッ素加工された取手付きの一人前プレートにそれぞれチーズを入れて、温まった電熱線の下に置いて溶けるのを待つだけ。グリルのふた部分がホットプレート状になっているものもあり、同時に野菜などを焼いて楽しむこともできます。

1月12日

パリ市民の足、地下鉄

地下鉄を「メトロ（Métro）」と呼ぶのは、「大都市鉄道（Chemin《シュマン》 de《ドゥ》 fer《フェール》 métropolitain《メトロポリタン》）」の略称です。パリに誕生した最初のメトロは町を東西に横断する1番線で、パリ万博に合わせて1900年に開通しました。それから第二次大戦までの間に13番線まで増え、それぞれの路線が少しずつ郊外まで延長されました。一番新しいのは1998年に開通した14番線で、全駅にホームドアが設置された無人の自動運転となっています。短い支線も含めると、現在合わせて16の路線が存在します。パリのメトロは駅と駅の間隔が短いのも特徴で、距離は平均570m、所要時間は1分30秒。1～2駅くらいの距離なら歩いてしまうパリジャンが多いのも納得です。料金は距離にかかわらず均一で切符1枚（1.90€）。とりわけ切符10枚組で割安になるカルネは旅行者にも欠かせないものでしたが、最近は非接触ICカード（Navigo《ナヴィゴ》）が取って代わりつつあり、紙の切符は2021年に消滅する予定です。

13 | janvier

288
/
365

1月13日

フランスの祝祭日

フランスの祝祭日は1年に11日あります。日本と共通しているのは元旦のみで、後はキリスト教や世界大戦にまつわる日が多いです。7月14日の革命記念日はシャンゼリゼ大通りで繰り広げられる軍事パレード→105/365など、華やかなお祭り気分に包まれ、歴史に思いを馳せつつ記憶をつないでゆく大切な一日です。5月8日と11月11日は第二次と第一次大戦の休戦記念日。復活祭と翌月曜、キリスト昇天祭、聖霊降臨の祝日と翌月曜は移動祝祭日と呼ばれ、毎年日にちが変わります。復活祭は「3月21日（春分の日）後の最初の満月の次の日曜日」と定められており、その日から数えて40日後の昇天祭、50日後の聖霊降臨の祝日も同じように移動します。8月15日の聖母被昇天祭は変わりません。ほとんどのお店や美術館が閉まる祝日は、1月1日、5月1日（メーデー）、12月25日（クリスマス）。ちなみに、祝日と日曜が重なっても振替休日はありません。

14 | janvier

1月14日

真っ白なリネンで新年をスタート

冬のセール→87/365 に先駆けて、年明けすぐにスタートするのが、「Mois du blanc《モワデュブラン》（白の月）」と呼ばれるハウスリネンのバーゲン。デパートや専門店では、ベッドシーツやカバー、タオルなど、あらゆるリネン類を一挙に割引して売り出します。この大売り出しを最初に仕掛けたと言われているのが、パリ最古のデパート、ボン・マルシェ。近代商業のパイオニアと呼ばれるアリスティッド・ブシコーは、妻のマルゲリットとともに、生地や雑貨を売る商店だったボン・マルシェを世界初の百貨店へと変え、次々と革新的なビジネススタイルを発案しました。このセールも、クリスマス商戦が終わり、売り上げが激減する１月に人を呼び戻すための作戦のひとつでした。当時はホームリネンといえば白が主流で、「Blanc《ブラン》（白）」と総称していたところから、「白の月間」というキャッチーな呼び名を付け、150年以上経った今も定着しています。つくづく、ブシコー夫妻の商才に感心します。

15 | janvier

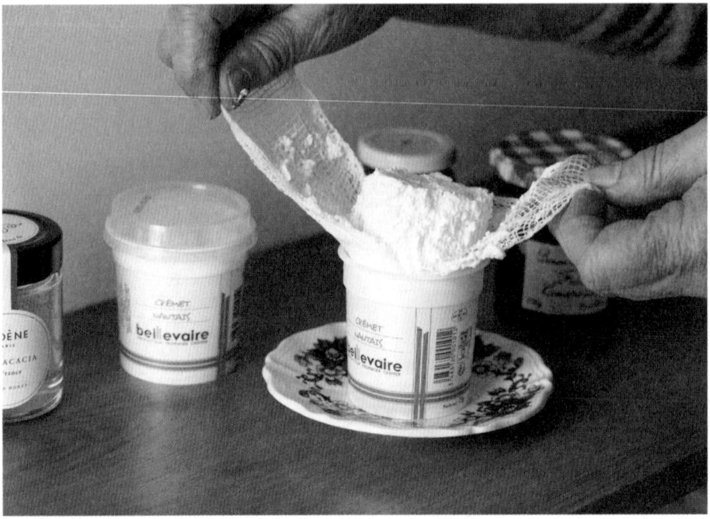

290 / 365

1月15日

ふっわふわの雲みたいなクレメ・ナンテ

フランス各地に古くから伝わる素朴な郷土スイーツは知らないものがほとんどで、伝統的なのに新鮮な驚きをもたらしてくれます。パリからTGV《テジェヴェ》で2時間ちょっと、南西に下ったところにあるナントという街に「Crémet nantais《クレメ ナンテ》」という名物があります。フロマージュ・ブラン→195/365に泡立てた生クリームと卵白、砂糖を混ぜ合わせるのが基本的なレシピで、ガーゼに包まれた真っ白でふわふわな姿が愛らしいデザート。この地方発祥のフロマジュリー「ベイユヴェール」のクレメは、チーズとクリーム本来の味を堪能できる飾らないおいしさ。同じくナントのパティシエ「ヴァンサン・ゲルレ」の「Crème《クレーム》 d'ange abricot《ダンジュ アブリコ》（アプリコットジュレ入り天使のクリーム）」は、アンジュー地方の名物「Crème d'Anjou《クレーム ダンジュー》」にヒントを得たもので、素朴なチーズを立派なパティスリーに昇華させた感動的な味と食感です。軽いので食後のデザートにもぴったり。

16 | janvier

291 / 365

1月16日

新年の抱負

　フランスにも「新年の抱負」を決める習慣があり、「Bonnes《ボンヌ》 résolutions《レゾリュシオン》 pour《プール》 la《ラ》 nouvelle《ヌーヴェル》 année《アネ》」と言います。インターネットには新年の抱負の例文集なんてものもあるので、年賀状→283/365に書き添える人もきっと多いのでしょう。

　2019年12月のフィガロ紙の記事によると、新年の抱負トップ1は「スポーツをする」で、42%のフランス人がこれを目標に掲げるそうです。2番目に「痩せる」が続き、どの国も悩みは同じだなぁと実感します。そして3位は「きちんと寝る」だそう！　一風変わった感じがしますが、スマホをベッドに持ち込んでしまう自分のことを振り返ると、悪くない目標だなとも思います。他にもお酒を控える、禁煙するといったクラシックな抱負が並んでいますが、何をおいても健康第一、と考えるフランス人が多いということですね。

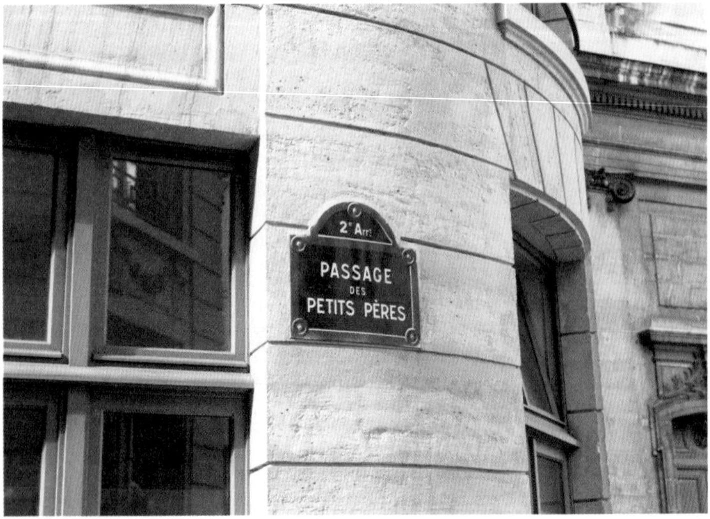

1月17日

面白い通りの名前 その2

パリの通りの名前から、その界隈の歴史が伝わってくるというお話→183/365の続きです。

◆Passage《パッサージュ》 Vérité《ヴェリテ》《真実のパッサージュ》パリ1区
ここにかつてあった新聞屋さんの名前が「真実」だったことにちなんでいます。

◆Rue《リュ》 de《ドゥ》 la《ラ》 Grande《グランド》 Truanderie《トリュアンドリ》《ならず者の通り》パリ1区
中世のパリではこの辺りに素行の悪い者たちがたむろしていたことにちなんでいます。

◆Rue《リュ》 des《デ》 Boulets《ブレ》《砲弾通り》パリ11区
16世紀の宗教戦争で砲弾が飛び交ったことにちなんでいます。

◆Rue《リュ》 Brisemiche《ブリズミッシュ》《パン割りの通り》パリ4区
すぐ近くのサン・メリ教会の司祭にパンが配られていたことにちなんでいます。

◆Passage《パッサージュ》 des《デ》 Petits《プチ》 Pères《ペール》《小さいお父さんたちのパッサージュ》パリ2区
ここにあった修道院の神父たちを親しみを込めてこう呼んでいたため。

18 | janvier

293
/
365

1月18日

寒い日のオニオングラタンスープ

薄く切った玉ねぎをバターでじっくり炒め、飴色になったら小麦粉を少し加えてさらに炒め、そこにビーフのブイヨンを加えて煮ると、きれいな黄金色のスープが出来ます。一人前ずつ深い器によそい、スライスしたバゲットとグリュイエールチーズをスープに浮かべ、オーブンで焼き色を付けたら出来上がり。

カリッと焦げたチーズをスプーンの先で割りながら、スープを吸ったパンと少しだけ姿をとどめる玉ねぎをすくってひと口。素朴で優しい味わいが胃の中にじんわり沁みわたります。レシピはシンプルですが、案外手間と時間がかかるので、食べる時はもっぱらビストロで、というフランス人も少なくありません。寒空の下、テラス席で味わう熱々のスープのおいしさは格別です。味も姿もお店によって個性があるので、自分のお気に入りを見つけるべく、食べ歩いてみるのも楽しいですね。

19 | janvier

294 / 365

1月19日

マ・シェリ、素敵な愛称

フランスでは愛するパートナーや子どもたちを、特別な愛称で呼ぶ習慣があります。「Mon《モン》 chéri《シェリ》 / Ma《マ》 chérie《シェリ》（私の大切な人）」や「Mon amour《モナムール》（私の愛する人）」は、映画などでよく耳にしますが、天使、ハート、ベイビーも定番。他にも子猫、子鹿、ウサギ、メンドリ、カモ、エビ、ノミ、キャベツなど、とにかくバラエティ豊か！「Ma《マ》 crotte《クロット》（私のフン）！」なんていう独特な愛称で孫を呼んでいるおばあちゃんを見かけたときはさすがに驚きましたが、誰も使っていない個性的な呼び名であるほど、特別感や親密度が増すようで、なんだかほほ笑ましかったです。単語の意味は深く考えてはいけませんね。

ちなみに呼ぶときは、「私の」を意味する「Mon《モン》」か「Ma《マ》」を必ず付けますが、呼ぶ相手の性別ではなく、後に続く単語が男性形か女性形かで決まります。

20 | janvier

295 / 365

1月20日

冬の名物、焼き栗

木枯らしの吹きすさぶ寒い日に歩いていて、「マロン・ショー(Marrons chauds / 焼き栗)」の香りが漂ってくると、とてもラッキーな気持ちになります。屋台で「1つください」と頼むと、ホカホカの栗を新聞にくるんでくれます。だいたい4ユーロくらい。栗の皮に切れ目が入っているので、やけどしないように気をつけながら皮をむいて食べます。日本の甘栗のような立派なサイズではなく、小さめの栗なのですが、木炭でじっくり焼くことで、ホクホクの食感と自然な甘みが生まれます。焼き栗は昔から伝統的にマロン・ショーと呼ばれていますが、フランス語で「マロン」はマロニエの木の実のこと。実際の焼き栗にはシャテーニュという、より小ぶりの栗が使われていて、フランス南部のアルデッシュ県の名産です。50～60年前までは、冬になるとパリのメトロの出口の多くに焼き栗の屋台が立っていたそうですが、時代の流れとともに減ってきてしまったのはとても残念です。

1月21日

豊富なケーキミックス

卵と牛乳を加えるだけで、パパッと作れちゃうケーキミックスの人気は高く、買い置きする人もたくさん。スーパーの棚には、ふっくらと焼き上がったケーキの姿が印刷された箱がずらりと並び、種類も豊富。飾り気のない、焼きっぱなしのモワルー（パウンドケーキ）は、プレーン、チョコ、レモン、アーモンドといったフレーバーがあり、他にもフォンダンショコラ、カヌレ、マドレーヌ、フランなど、フランスで愛され続ける素朴なお菓子が定番です。手軽だけど保存料や材料の質が気になる、というヘルシー派の人気を集めるのは、石臼で挽いた小麦粉や未精製のキビ糖など、オーガニックの素材のみを厳選した「マルレット」。従来のミックスよりも、手作りの自然な味わいが楽しめます。白い袋にラベルを貼っただけのシンプルなパッケージもかわいく、パリのおみやげにもぴったりです。ミックスを使ったケーキを味わえるマルレットのカフェもパリに数軒あるので、ぜひ。

22 | janvier

297 / 365

1月22日

ひと粒のしあわせ…パート・ドゥ・フリュイ

フランスのお菓子屋さんでよく目にする「パート・ドゥ・フリュイ(Pâte de fruits)」は、果物のピュレに砂糖とペクチンを加えて固めたゼリー状の伝統菓子。北マレにある名ショコラティエ「ジャック・ジュナン」に取材をした時のこと。ジュナンと言えばとろけるようなキャラメルが一番人気ですが、勧められて味見したパート・ドゥ・フリュイに衝撃を受け、甘すぎたり人工的な味がしたりするのではないかという、勝手な思い込みが見事に覆されました。小さな正方形のキューブをつまんで口に入れると、凝縮された果物の風味がふわぁっと広がり、果物そのもの、いやそれ以上のおいしさを感じられたのです。少し透明がかった色とりどりのパート・ドゥ・フリュイはまるで宝石のように美しく、以来、いろんなお店のものを食べるようになりましたが、一番おいしいと思うのは、今もやっぱりジュナンのパート・ドゥ・フリュイです。

23 | janvier

298 / 365

1月23日

面白いフランス語の言いまわし［食べ物編その3］

◆Crème《クレーム》 de《ドゥ》 la《ラ》 crème《クレーム》（クリームの中のクリーム）
ある分野で最高・最上のものや人。濃厚なクリームのさらに濃い部分！

◆Mi《ミ》-figue《フィグ》, mi《ミ》-raisin《レザン》（半分いちじく、半分ぶどう）
中途半端なこと。フランスではいちじくよりもぶどうの方が好まれたそうで、良い面と悪い面のどちらもある状態のことを指します。

◆Dur《デュール》 à《ア》 cuire《キュイール》（焼きにくい人）
頑固で身体の強い人のこと。皮が固く芯まで火が通りにくい根菜みたいな感じ？

◆C'est《セ》 du《デュ》 gâteau《ガトー》.（それはケーキだね）
作業が簡単なこと。逆に難しいときは「タルトではない」と言います。

◆Appuyer《アピュイエ》 sur《スュール》 le《ル》 champignon《シャンピニオン》（きのこを踏む）
車のスピードを上げる。初期の車のアクセルの形がきのこに似ていたところから。

◆Poireauter《ポワロテ》（ネギする）
長い時間待ち続ける。ゆっくり根を張る長ネギの様子を見た農民が使い始めたそう。

24 | janvier

299 / 365

1月24日

公共の場所では禁煙！

フランス政府は1970年代から喫煙に関する規制を始めましたが、その中で実際の生活に最も大きな影響を与えたのが、2007年2月から施行された禁煙に関する法律です。これにより、駅や交通機関、美術館、映画館、病院、学校など、屋内の公共施設での喫煙が禁止となりました。カフェやバー、レストランなどの飲食店でも、2008年1月からついに店内完全禁煙となり、タバコが吸えるのは屋外のテラス席のみになりました。

例えばいくつものフランス映画にコーヒーを飲みながらタバコを吸うシーンがあったように、カフェ文化とタバコとは切っても切れない関係だっただけに、飲食店の禁煙には少なからず反対の声も挙がりましたが、10年以上が経った現在はすっかり受け入れられています。

25 | janvier

300
/
365

1月25日

ジョエル・ロブションの極上ピュレ

2018年に他界した世界的シェフの極上マッシュポテトは、彼のトレードマーク。たっぷり6人分くらい出来るので、半量にしてもOK。裏ごしするとよりなめらかになりますが、しなくても大丈夫です。

［材料］
じゃがいも：1kg　無塩バター：250g　牛乳：250cc　塩（できれば粗塩）：大さじ1

［作り方］
1. 洗ったじゃがいもを皮が付いたまま鍋に入れて水をかぶるくらい入れ、塩も加え、25～30分よくゆでる。
2. じゃがいもをゆでる間に、バターをサイコロ状に切り分け、冷蔵庫に戻す。
3. 1がゆで上がったら、熱いうちに皮をむき、鍋に戻してマッシャーでつぶす。
4. 牛乳を別の鍋か電子レンジで沸騰しない程度に温める。
5. 3の鍋を弱火にかけ、木べらで混ぜて水分を飛ばす。
6. 弱火のまま5に2の冷たいバターを少しずつ入れてよく混ぜる。
7. 弱火のまま6に4の牛乳を加え、泡立て器でさらに力を入れてよく混ぜる。

26 | janvier

301 / 365

1月26日

みんなタルタルステーキが大好き

上質な牛肉が手に入るフランスでは、肉を生で食べる「Steak《ステック》 tartare《タルタル》」つまりタルタルステーキも必然的においしいです。もともとはモンゴルの遊牧民（タルタル人）たちから伝わったようですが、今ではすっかりフランス名物のひとつです。フランスでよく出されるタルタルステーキは、新鮮な牛の挽き肉に、玉ねぎ、ケッパー、パセリのみじん切りを混ぜ、ウスターソース、ケチャップ、タバスコ、オリーブオイル、塩、胡椒などで味付けをしたもの。これに生の卵黄をプラスする場合もあります。付け合せは揚げたてのフライドポテトが定番です。レストランで注文すると、すでに出来上がったタルタルステーキが出てくる場合もあれば、上に挙げた材料が別々に出てきて客自らがお皿の中で完成させるパターンもあり、好みの味付けにできるのがうれしい。少しかしこまったお店なら、ウェイターさんが目の前で用意してくれることもあり、その手際の良さにうっとりします。

27 | janvier

302
/
365

1月27日

高い所から見下ろすパリ その2

55/365 の続きですが、こちらは有料のスポットです。

◆エッフェル塔

一番高い場所からパリを見下ろすならもちろんここ。最上階の展望台では地上276mの高さから360度の眺めを楽しめます。昼と夜どちらも異なる良さがあります。

◆凱旋門

屋上から見える、放射状に延びる12本の道路と、新凱旋門からコンコルド広場、ルーヴル美術館まで続くパースペクティブの整然とした美しさは一見の価値ありです。

◆モンパルナスタワー

地上210mの最上階にガラス張りの展望台があり、360度のパノラマでパリのモニュメントを一望できます。エッフェル塔込みのパリの風景を見るならここがベスト。

◆観覧車

夏休みとクリスマスの時期だけチュイルリー公園に出現する移動遊園地には、大きな観覧車があります。すぐ近くのルーヴル美術館はもちろん、シャンゼリゼやセーヌ川、エッフェル塔までゆったりと見下ろせる穴場です。

303 / 365

1月28日

フランスの映像アーカイブの宝庫

1975年に設立されたフランス国立視聴覚研究所（INA《イナ》）は、国内のテレビやラジオなどで放送されるすべてのコンテンツを、未来に残すべき文化財として保管する組織です。そのINAが2006年に開設した「ina.fr」は、膨大な数のニュースやインタビュー映像、バラエティ、音楽番組など、世界最大級の放送アーカイブを誰もが無料で視聴できるサイト。

政治、歴史、芸術、社会、スポーツなどのテーマ別、歌手や俳優、政治家などの人物別、番組別などに分かれているほか、人の名前や映画のタイトル、イベント名など、興味のあるキーワードで検索することもできます。有名人の映像もよいのですが、何十年も前の街頭インタビューやニュースで当時の様子をのぞくのもワクワクします。INAのTwitter（@Inafr_officiel）とFacebook（@ina.fr）アカウントも興味深い映像を定期的に紹介してくれるのでおすすめです。

29 | janvier

1月29日

フランスで有名な日本人 その1

フランスで有名な日本人は思った以上に多く、いろいろな媒体で日本人の名前を目にしたり耳にしたりする機会があります。さほど絵画に詳しくない人にも知られている名前といえば、江戸時代を代表する浮世絵画家、喜多川歌麿、葛飾北斎、歌川広重の３人。19世紀後半にフランスを中心に流行したジャポニズムにより、ルノワールやモネ、ゴッホをはじめとする多くの画家たちに影響を与え、100年経った今も、うねる波や富士山、美人画は日本のイメージとして定着しています。日本の著名人は映画監督の「クロサワ」のように苗字で呼ぶのが定番ですが、この３人に限っては「ウタマロ」「オクサイ」「イロシゲ」（Hは発音しません）と名前で呼ぶのが不思議です。

近代画家では、姓のFoujitaをもじった「Fou《フ》fou《フ》（クレイジーなお調子者)」の愛称で知られる藤田嗣治が有名ですが、晩年はフランスに帰化し、1968年の今日、１月29日にスイスで逝去しています。

1月30日

パリのおじさまたちに注目

あくまでも私見ですが、男性のおしゃれ度に関しては、若者なら東京に、ある年齢以上になるとパリに軍配が上がるような気がします。「年配の男性がこの色を着るのはおかしい」というような固定観念が薄いせいか、他人の視線を気にせずにおしゃれを楽しむ人が多い印象です。そんなパリのダンディなおじさまたちが愛し続けるのが、ヴァンドーム広場にある世界最古のオーダーメイドシャツ専門店「シャルヴェ」。6000種類もある上質な生地、隅々まで丁寧に採寸して作る型紙、高い縫製技術によって作られるシャツは、着るだけでエレガンスがにじみ出る逸品。スカーフやネクタイ、ポケットチーフなどの小物も充実していて、さまざまな色とデザインの組み合わせを楽しめます。「シャルヴェ」に限らず、上質な洋服や小物を作り続ける老舗ブランドが数多いパリでは、歳を重ねて審美眼に磨きがかかり、自分のスタイルを確立した素敵な着こなしのおじさまたちに出会えます。

31 | janvier

306 / 365

1月31日

フランス伝統の砂糖菓子

飴やパート・ド・フリュイ、ヌガーなどの砂糖菓子をフランス語でコンフィズリーと呼び、フランスの各地に、長い歴史を誇る伝統的な味を守り続けるお店があります。例えばブルゴーニュ地方の小さな村フラヴィニーで1591年から作られている「Anis《アニス》 de《ドゥ》 Flavigny《フラヴィニー》」、同じくブルゴーニュ地方ヌヴェールで1902年から作られている「Négus《ネギュス》」、パリの南東80kmにあるモレ・シュル・ロワンで1638年から作られている「Sucres《シュクル》 d’orge《ドルジュ》 des《デ》 religieuses《ルリジューズ》 de《ドゥ》 Moret《モレ》」などのキャンディや、クリームを挟まない素朴なマカロン「Macaron《マカロン》 de《ドゥ》 Nancy《ナンシー》」など、どれもしみじみとおいしく、缶や箱がレトロで愛らしいのも特徴です。これらの名産品が一堂に会するのが、パリ９区の「ア・レトワール・ドール」。三つ編みにタータンチェックのスカートがトレードマークの名物マダム、ドゥニーズ・アカボさんが厳選した上質なコンフィズリーが所狭しと並ぶ、まさにお菓子の宝箱のようなお店です。

1 | février

307 / 365

2月1日

ここでしか買えないものがたくさん

　単なるみやげ物を売るのではなく、アートへの造詣を深め、感性を磨いてくれるようなミュージアムショップがパリには多くあります。パリ装飾芸術美術館の「107 Rivoli《リヴォリ》」は、書籍の他にデザイン史に残るオブジェや生活雑貨を幅広くそろえており、美術館と地続きのように楽しめます。ラファイエット・アンティシパシオンにある「À《ア》 Rebours《ルブール》」では、最先端のクリエイターによる作品が販売され、パリジャンの支持を集めています。ルイ・ヴィトン財団美術館はセンス抜群で、特にショッパーが人気。パレ・ド・トーキョーの「La Librairie《ラ リブレリー》」は、ドイツの書店「ウォルター・ケーニッヒ」とフランスの芸術専門誌「カイエ・ダール」がコラボしたショップで、広々とした空間に貴重なアート本や雑誌などがセレクトされています。ポンピドゥ・センターのお店はアート系雑貨が豊富にあり、パリのおみやげ探しにも最適。どのショップも美術館見学なしで自由に出入りすることができます。

2 | février

2月2日

金貨を握りしめてクレープをひっくり返そう！

フランスでは２月２日の「シャンドラー（Chandeleur）」の日に家庭でクレープを焼いて食べる習慣があります。クリスマスからちょうど40日を数え、幼子イエスがエルサレムの神殿で神に捧げられたことを記念する日なのだそう。教会でろうそくを灯してお祝いする「聖燭祭」の日でもあることから、「Chandelle《シャンデル》（ろうそく）」という言葉がその名の起源と言われています。クレープを食べる理由については、ローマ教皇がその昔巡礼者たちにクレープを振舞ったからとか、キリストが授けられた光の円形に似ているからなど諸説ありますが、いずれにせよ現代では、「２月２日はクレープの日」として欠かせないイベントになっています。片手にコインを握りしめ、もう一方の手でフライパンを振ってクレープを上手にひっくり返せたら、その年はお金に苦労しないという言い伝えがあり、縁起ものとは思いつつ、クレープ返しについ必死になっている自分がいます。

3 | février

309 / 365

2月3日

クレープのお供は林檎のお酒

2月2日のシャンドラーは家庭でクレープを焼いて食べる日と紹介しましたが、クレープのお供として必ず食卓に並ぶ飲み物が林檎の発泡酒、シードルです。この日が近づくと、スーパーの棚に小麦粉やジャムと一緒に、シードルの瓶もずらりと並ぶのがおなじみの光景です。

とはいえ、クレープにシードルの組み合わせはシャンドラーの日に限ったことではなく、ガレットと呼ばれる蕎麦粉で作った塩味クレープを食べるときもシードルが欠かせません。ワインが大好きなフランス人も、クレープ屋さんではシードルを注文するのが定番で、ボル1杯→ 166/365、ピッチャー、ボトルと好きな量を選べます。なぜクレープのお供にシードルが選ばれるようになったのか、はっきりとはわかりませんが、シードルの二大産地のひとつであるブルターニュ地方（もう1つはノルマンディー地方）の名物料理がクレープだったからかもしれません。

2月4日

美しい佇まいの食器たち

お気に入りの器がある暮らしというのは良いものです。いつものコーヒーがちょっとおいしく感じられたり、手抜き料理も器に盛るだけで食卓がぐんと華やいだりします。それに、美しい器はただ眺めているだけでも飽きません。「アスティエ・ド・ヴィラット」のお皿やカップは、そんな風に愛でたくなる憧れの存在です。パリ13区にあるアトリエで職人たちが作る器は、少しくすんだような、それでいて威厳のある白色が特徴。不ぞろいな形や、微かに異なる釉薬の表情が手作りならではのぬくもりを感じさせ、1つずつじっくり見ながら選ぶ楽しみがあり、自分だけの1品、という愛着がおのずと湧きます。パリのサントノレ通りにある本店では、天井まで届く作り付けの棚に白い陶器たちが並べられ、何度訪れてもうっとりしてしまう見事な眺め。大皿や絵付けした皿がそこかしこに飾られている田舎風邸宅のような奥の小部屋の雰囲気も好きで、ついつい長居してしまいます。

5 | février

2月5日

美しいパリの街並み

私たちが知っている美しいパリの街並みと近代的な都市の姿は、セーヌ県知事だったジョルジュ・オスマンの指揮のもと、19世紀半ばに行われた大規模な都市整備で生まれました。今では想像するのが難しいですが、それ以前のパリは中世から手つかずの入り組んだ細い道のせいで風通しが悪く、不衛生な街だったといいます。

幅広い大通りを建設して交通をスムーズにしたり、上下水道を整備したり、建物の内側に中庭を作って緑を増やしたり、という機能的な改善はもちろん、統一された景観にもこだわりました。高さのそろった石造りの建物に、グレーの屋根、窓には鉄細工のバルコニーという、今ではパリを象徴する建物のスタイルはオスマン様式と呼ばれています。どこを切り取っても絵になるパリの街は、このオスマンさんのおかげで生まれたのです。

6 | février

312 / 365

2月6日

非ミーハー的美学

街で芸能人を見かけても、たいていのパリジャン、パリジェンヌたちは、それはそれは、とてもクール。気づいてないの？ と思えるほど普段通りにしている人ばかりで、とてもじゃないけど、ダッと駆け寄って一緒に写真を撮ってください！ なんてミーハーに振る舞える空気はありません。そのおかげか、パリでは有名人もごく普通に買い物をしたり、カフェでおしゃべりをしたりしていて、自然体で過ごす姿をよく見かけます。芸能人のゴシップにはあまり興味がないようで、テレビのワイドショーはなく、スキャンダルを書き立てる雑誌も少なめ。俳優も歌手も何ら特別ではなく、私たちと同じように生活する人間であるという考え方がベースにありつつ、有名人であってもプライベートはきちんと尊重されるべき、という共通認識があるように感じます。逆に言うと、「有名人だから特別扱いして」といった横柄な態度を取る人を一切認めない厳しさもあります。

313 / 365

2月7日

フランスのいろんなお塩の話

フランスで日常的に使う塩は、天日で海水の水分を蒸発させて作る「Sel de mer《セル ドゥ メール》（海塩）」が基本。青いパッケージにクジラのマークが目印の塩は、フランスのキッチンで一番よく見かける定番ブランドです。古代から塩作りが盛んなフランスの土地と言えば、地中海に面した湿地帯であるカマルグで、大規模な製塩が行われています。一方、手作業による上質な塩作りで有名なのが、大西洋沿いの産地。おいしい塩の代名詞でもあるゲランドをはじめ、ノワールムティエやイル・ド・レ、オレロンなどの島々です。中でも、海水の表面に現れる繊細な塩の結晶を毎日手作業で収穫して作られるフルール・ド・セル（塩の花）は最高級で、ゲランド産が有名です。食卓で活躍する香りつきの塩も種類が豊富で、一番のおすすめはトリュフ塩。シンプルに焼いただけの肉やゆで野菜にかけるだけで高級感がぐっと増すスグレモノで、料理好きな人へのフランスみやげにぴったりです。

フランスの定番おやつ

フランスにもスナック菓子はありますが、日本に比べると種類はあまり多くなく、子どもたちのおやつにはよりシンプルなものが好まれます。例えば、バゲットに板チョコを挟んだものは定番のひとつ。あまりにも簡単なのでちょっと驚きますが、塩味の効いたバゲットとチョコレートの甘みがマッチして、意外とおいしいのです。

ドイツ生まれですがフランスでも昔から愛されているのが「HARIBO《ハリボー》（ちなみにフランス語では「アリボー」と発音）」のカラフルなグミ。これを出すと子どもたちの目が輝きます。

日本では昔から「おやつ」と言えば「3時」ですが、フランスのおやつタイムは「4時」。おやつのことは正式には「Goûter《グテ》」と言いますが、「4時＝Quatre heures《キャトラー》」という言葉もそのままおやつのことを指すのが面白いところ。だから、ママンが子どもに向かって「ちゃんと4時食べたの？」なんて聞いたりします。

9 | février

315 / 365

2月9日

美しいフランスの紙もの

どんな分野においても昔ながらの職人技を大切に守る風習のあるフランスらしく、「紙もの」にも、もの作りに対する深い愛情と真摯な姿勢が感じられます。ごく普通のノートでも紙がしっかりと厚く、値段は決して安くはありませんが、自分の思いやアイデアを自由に書ける紙は、あらゆる創作活動の出発点として妥協できない特別な存在なのかもしれません。新しい紙ものを提案する若い世代のクリエイターも登場しています。「パピエ ティグル」は独特な色使いと幾何学模様が美しいモダンなステーショナリーが人気。手描きの水彩画をモチーフにした「シーズンペーパー・コレクション」は、やわらかな作風が魅力で、壁紙や布地のデザインも手がけています。木版で印刷した図柄を１枚ずつ手作業で彩色する「アントワネット・ポワソン」は、18 世紀末以降に失われた「ドミノペーパー」の伝統技術を現代によみがえらせました。手仕事ならではの凛とした美しさに見とれます。

316 / 365

2月10日

カフェオレボウルの不思議

忙しい朝、焼き立てのバゲットやクロワッサンを買いに行く人は少なく、おのずと前日の残りを食べることになるのですが、固くなってしまったパンを少しでも食べやすくするために、温かい飲み物に浸してかじります。フレッシュなパンやふわふわのブリオッシュですら、反射的に浸す人もいるほど、フランスではおなじみの習慣です。その時、口の狭いコーヒーカップだと浸しづらいため、大きなボウルを使うようになったと思われます。「なぜ、カフェオレだけはボウルで飲むのか？」と、長い間不思議に思っていましたが、ココアでも紅茶でも、朝食時にはどんな温かい飲み物もボウルで飲む人が多いことがわかりました。カフェオレボウルという英語名は、朝食の時だけカフェオレを飲むフランス人が多いところから、朝食を象徴する存在として名付けられたのかもしれません。

11 | février

317 / 365

2月11日

パリのマルシェ

パリには、屋外、屋内併せて80以上もの朝市が立ち、毎日そこかしこで、新鮮な食材を求めるパリジャンたちでにぎわうマルシェの光景を目にします。足を運びやすいおすすめのマルシェはこちら。

◆ラスパイユ市場：Marché Raspail
サンジェルマン界隈に暮らすシックな地元民でにぎわう小さな市場。日曜のみ、食材から日用品まですべてオーガニックの屋台が並びます。

◆バスティーユ市場：Marché Bastille
100軒ほどの屋台が集う大きな朝市。パリのおみやげ探しにも最適。

◆アンファン・ルージュ屋内市場：Marché couvert des Enfants Rouges
1615年誕生のパリ最古のマルシェ。多国籍な料理を出す屋台も充実しています。

◆プレジダン・ウィルソン市場：Marché Président Wilson
シックな16区の日常を垣間見られる、ちょっと優雅な気分のマルシェ。

12 | février

318 / 365

2月12日

変わる食生活

食生活が多様化するにつれて、日本人の主食である米の消費量はこの半世紀の間に半減したと言われていますが、実はフランスでも同じような現象が起こっています。主食であるパンの消費量もどんどん減り続けていて、60年前と比べてたったの3分の1になりました。チーズもフランスの食卓に欠かせませんが、その消費量も減ってきています。フランスでは「前菜・メイン・チーズ・デザート」の順番で食事をするのが伝統ですが、現代の忙しい生活の中で、家庭の食卓ではこの内容が簡略化され、チーズが省かれてしまうことがその原因のひとつだそうです。その一方で、ある調査によれば97%のフランス人が、「焼き立てのパンがテーブルにあるとうれしい」と回答しています。また、チーズを毎日食べるフランス人の割合は45%と言われています。たとえ食べる量が減っても、やっぱりフランス人にとって、パンとチーズが不可欠なものであることに変わりありません。

13 | février

319 / 365

2月13日

タルティフレット

アルプスの山々に囲まれたサヴォワ地方の郷土料理「タルティフレット」。寒い冬にぴったりのあったまる一品です。伝統的には円形の「ルブロション」チーズを使いますが、入手が難しければカマンベールなどお好みのチーズでもOK。チーズをたっぷり使いましょう。

［材料］ 4～6人分

じゃがいも：800g　玉ねぎ：4個　ベーコン：200g　ルブロションチーズ（他のチーズでも）：400g　オリーブオイル：大さじ3　コショウ・ナツメグ：適量

［作り方］

1. オーブンを200℃に予熱する。
2. じゃがいもは皮つきのまま少し固めに塩ゆでし、皮をむいて厚めの輪切りにする。
3. ベーコンは短冊切り、玉ねぎは薄切りにし、一緒にオリーブオイルで玉ねぎがしんなりするまで炒める。
4. 3にじゃがいもを加え、コショウを利かせ、全体を混ぜる。
5. 4をオーブン皿に平らに並べ、水平に切ったチーズを皮を下側にしてのせる。ナツメグを振りかけ、オーブンでチーズがとろけて少しカリッとするまで20分ほど焼く。

14 | février

320
/
365

2月14日

バレンタインデーにはお花を

日本ではご存知の通り、バレンタインデーにはチョコレートを贈る習慣が定着しています。フランスでも「Saint《サン》 Valentin《ヴァランタン》」と呼ばれる特別な日ですが、その過ごし方は日本とは異なります。純粋に「愛する人にその思いを形にして伝える日」なので、職場や学校で義理チョコを配ることはなく、贈る物もさまざまです。女性から男性へと決まっていないどころか、どちらかと言うと男性から女性に贈り物をするケースの方が多いようです。フランスでバレンタインに贈るものランキング1位は、おそらく花束。2月14日の夕方には、花屋さんの前の行列と、花束を抱えた人たちが帰路を急いでいる姿をよく見かけます。花屋さんはその1日だけで、普段の1週間分を売り上げるそうです。ここ数年、日本の習慣が逆輸入されたような形で、有名なパティシエやショコラティエたちがバレンタイン限定商品を発売するようになり、「花より団子」派を喜ばせています。

15 | février

321 / 365

2月15日

大人も子どもも大好きなボンボン

キャンディやグミのことをまとめて「Bonbon《ボンボン》」と呼びます。その代表格は、ドイツ生まれながらフランスでも昔から愛されている「HARIBO《ハリボー》」のグミ。甘酸っぱいいちご味のマシュマロに砂糖をまぶした「Tagada《タガダ》」が一番人気で、そのほかにもクマやワニの形をしたさまざまな色と味のグミがあり、子どもはもちろん大人になっても大好きな人も多く、オフィスの引出しに常備している人もいるほどです。個人的にハリボーのボンボンの中で唯一食べられないのが、真っ黒のグミ。漢方薬に使われる甘草の独特な風味は好き嫌いが分かれますが、フランスでは子どもも大人も好きな人が多いです。

「Carambar《カランバー》」も国民的なボンボンです。細長いキャラメルで、包み紙になぞなぞが書かれており、カランバーを食べると即席なぞなぞ大会が始まるのもフランスならではです。

2月16日

フランス人に喜ばれる日本のおみやげ

初対面で、特に日本文化に明るくない人に贈る場合、伝統的な品よりも、フランス人にもなじみがあって日常使いできる物、そこに、日本ならではの技術や質の高さが感じられる物が、案外喜ばれるのではないかと思います。例えば、手ぬぐいよりも上質なミニタオルだったり、緑茶よりも砂糖を加えて飲めるような緑茶ベースのフレーバーティーや、カップに載せて淹れる一人前のドリップコーヒーだったり、お菓子ならば和菓子よりもカステラやクッキー、キットカットのような洋菓子系の方が手が出しやすく、抹茶や柚子など日本らしい味をチョイスします。雑貨好きなら、筆記具や針なしホッチキス、テープのり、マステなど、日本ならではの便利グッズ。ウイスキー愛好家へは、希少価値の高い日本の高級ウイスキーを。また、美しい箱や包み紙にも日本らしさを感じてもらえるようで、大切な気持ちを表す日本伝統の習慣をきちんと理解し、愛でてくれるフランス人がとても多いです。

17 | février

323 / 365

2月17日

フランスのジンクス その3

知らずにやってしまいがちなものとしては、「火の付いたロウソクを使って、他のロウソクに火を付けてはいけない」。バースデーケーキのキャンドルに火を灯そうとして、マッチで数本のロウソクに火を付けた後、ちょっと横着してそのロウソクを１本抜き取って残りのロウソクに火を移そうとしたら、たしなめられました。ちなみに、息を吹きかけてキャンドルを消してもよいとされているのは、誕生日の時だけ。日常生活では手であおぐか、専用の道具でふたをして消すのがマナーです。道を歩いている時に、黒猫が前を横切ったら不幸が訪れるので、黒猫を見かけたらなるべく避けるのがよいとされています。黒い色は悪魔や魔女を想起させるために、黒猫は不吉なものとされているようです。日本では逆に魔除けや縁起物と言われていて、とある宅急便の名前然り、黒猫を忌み嫌う迷信がないので、本当に所変わればでつくづく面白いです。

18 | février

324 / 365

2月18日

パリのメトロを乗りこなす

バスのように渋滞に影響されることなくスムーズに運行し、均一料金で乗り換え自由、そして朝5時過ぎから深夜1時頃まで一日中利用できるメトロは、旅行者にとって最も便利な交通手段です。日本との違いさえ把握しておけば、上手に乗りこなせます。まず路線図を見て、何番線に乗れば行き先の駅に行けるか確認します。その際、自分の行くべき方向を確かめ、その先にある終点の駅名をチェックするのが肝心。後は正しい番線と終点の駅名が掲示されたホームに行けばOKです。次の停車駅がわかる案内表示や、音声による駅名案内のある最新の車両はまだ一部の路線のみで、多くの場合は自分で確認が必要です。到着した駅のホームに表示されている駅名をしっかり見て、降り忘れないようにしましょう。メトロを運営するRATP(パリ交通公団)のアプリは、路線図はもちろん経路検索の機能もあって便利なので、活用してください。

19 | février

325 / 365

2月19日

フランスで仮装の日といえば…

中世から、フランスで仮装の日といえば「マルディ・グラ（Mardi gras)」。「肥沃な火曜日」という意味で、年によって日付が異なりますが、2月から3月のいずれかの火曜日です。さまざまに仮装した人々が練り歩くマルディグラのカーニバルが各地で開催されるのもこの時期で、パリをはじめ、ニースやダンケルクなどのカーニバルが有名。復活祭シーズンの始まりを告げるカトリックのお祭りですが、今では宗教色は薄く、ひと足先に春の訪れを味わうような、明るく華やかなお祭りとなっています。子どもたちにとっても楽しいイベント。この日はみんな仮装したまま、学校に登校できます。女の子はやはりプリンセス風のドレス姿が一番多く、男の子はスーパーマンなどのヒーロー系、海賊や騎士、カウボーイなどが定番。フランスでは街中で仮装した人を一番見かけるのはマルディグラなのです。ちなみに、この時期には揚げドーナツやクレープを食べる習慣もあります。

20 | février

326 / 365

2月20日

普段のチーズ、よそゆきのチーズ

食生活の変化によりチーズの消費量が減ってきているとはいえ→ 318/365、チーズはまだまだフランス人にとってなくてはならない食べ物。冷蔵庫の中にチーズが１つもない家庭は珍しいでしょう。決して安い食べ物ではないので、普段はスーパーで気軽に買えるもので済ませる人も多いです。とはいえ、スーパーのチーズ売場でも生乳を発酵・熟成させたナチュラルチーズが一般的で、日本でよくあるような加工済のプロセスチーズは、どちらかというと子どもがおやつに食べるもの、という扱いです。お客さんを招待するときやお祝いごとのある日、そしてもちろんクリスマスや大晦日などの特別な日には、チーズ屋さんでじっくり吟味して選ぶ人が増えます。伝統的な製法で丁寧に作られたチーズを、それぞれの特性に合わせて熟成させる技は、まさに専門店ならでは。一度に何種類か買うとしばらくは楽しめるので、上質なチーズを味わう幸せが長続きします。

2月21日

歴史と地続きの街

ローマ時代の遺跡があったり、中世の石畳の残る小道があったり、数百年前の建物が当たり前のようにあったり、その長い歴史がモザイクのように組み合わさったパリの街。かつてここに生きた多くの人々の足跡もいろいろな場所で発見できます。

例えばサンジェルマン・デプレ地区には、その昔、多くの文豪や哲学者たちが通った2つのカフェ→ 136/365、そしてそこから国立美術学校に向かって少し歩くと、セザンヌ、ピカソ、ヘミングウェーなど著名な芸術家たちに愛され、今は亡きシラク元大統領も常連だったカフェ、「ラ・パレット」があります。さらにセーヌ川沿いに向かえば、ピカソやセザンヌにも頼りにされた老舗画材店「セヌリエ」が、19世紀末の創業当時の面影を残して佇んでいます。あの画家や文豪が集った店にふらりと行ける…パリはそんな幸せを届けてくれる街です。

2月22日

くしゃみの音はフランス語で何て言う？

擬音語や擬態語を総称する「オノマトペ」は日本でもおなじみですが、もともとは「Onomatopée《オノマトペ》」というフランス語です。オノマトペが豊富な日本語ほどではありませんが、フランス語にも知っていると便利なものがあるのでご紹介します。日本語との違いも面白いですよ。

Atchoum《アチュム》　ハックシュン：くしゃみの音
Boum《ブム》　バン：爆発の音
Cocorico《ココリコ》　コケコッコー：鶏の鳴き声
Dring《ドゥリン》　リーン：電話が鳴る音
Eho《エオー》　おーい：人への呼びかけ
Frou《フル》 frou《フル》　さらさら、そよそよ：布がこすれる音、風が葉を揺らす音
Glou《グル》 glou《グル》　ゴクゴク：飲み物を飲む音
Groin《グロワン》 groin《グロワン》　ブーブー：豚の鳴き声
Grrr《グルルル》　ウー：うなり声
Meuh《ムー》　モー：牛の鳴き声
Miam《ミアム》　おいしそう！
Ouf《ウッフ》　ホッ：安心したとき
Paf《パフ》　パチン：叩いたときの音
Piou《ピウ》 piou《ピウ》　ピヨピヨ：ひよこの鳴き声
Tada《タダー》　ジャーン：サプライズをするとき
Vroum《ヴルゥム》　ブーン：車の音
Youpi《ユピ》　やった！

2月23日

フランスで有名な日本人 その2

304/365 のフランスで知られる日本人の続きです。挙げたらキリがないのですが、ここでは、日本にあまり興味がない人でも知っている名前を中心に。文学界では三島由紀夫、谷崎潤一郎、村上春樹。モードならケンゾー、イッセー・ミヤケ、コム・デ・ギャルソン（業界人はレイ・カワクボも当然知っています）。建築家は丹下健三、安藤忠雄、隈研吾、坂茂。映画界は黒澤明、小津安二郎、溝口健二、今村昌平、宮崎駿、高畑勲、大島渚、北野武、黒沢清、是枝裕和…と、カンヌ映画祭の影響もあり他の分野よりも多い印象。ちなみに、俳優なら三船敏郎が一番有名。漫画は鳥山明、大友克洋、谷口ジローの他、新しい世代の漫画も人気ですが、作者名よりも作品名が知られているかもしれません。ゲームならマリオの生みの親、宮本茂。スポーツ界では、どの道場にも写真が飾られている柔道の祖、嘉納治五郎。サッカーファンはその時々、活躍している日本人選手に詳しいです。

24 | février

330 / 365

2月24日

旧正月を祝う中華街のパレード

フランスで中華系の移民が最も集中しているのが、パリとその郊外です。パリ市内には大きく分けて3つの中華街があり、一番古いのが20世紀初めから存在する、パリ3区のアール・ゼ・メチエ駅周辺。1970年代から移民が増えた、13区のトルビアック駅からポルト・ディヴリー駅にかけての広いエリアは、パリの中華街の代表格。中華系スーパーやレストラン、銀行などが数多く立ち並びます。そして一番最後が、パリ20区のベルヴィル駅周辺です。2月末の日曜日、華僑たちにとって最も重要なイベントである春節（旧正月）を祝うパレードが、パリでも毎年行われます。提灯で飾られた道を華やかな伝統衣装に身を包んだ人々が練り歩くほか、龍舞や獅子舞とともに爆竹も打ち鳴らされ、大勢の見物客が集まります。一番規模の大きいパレードは13区の中華街で行われますが、それ以外の2地区でも、もちろんお祭りが開催されます。移民の町としてのパリを象徴するイベントです。

25 | février

331 / 365

2月25日

これってフランス語だったの!? その2

フランス語を学ぶようになり、日頃使われている外来語の中でフランス語が元になっている単語はたいてい見分けられるつもりでいましたが、まさかこれも!?と、衝撃を受けた言葉がいくつかありました。

古い表現ですが「シャッポを脱ぐ」が帽子の「Chapeau《シャポー》」だと気づいたときは目からウロコが落ち、乾燥させた花を壺に入れて香りをつけた「ポプリ」は「Pot-pourri《ポプリ》」、つまり腐った壺だと知って心底驚きました。バリカンはメーカーの「Bariquand et Marre《バリカンエマール》」から名付けられた日本独自の呼び方で、フランスでは通じません。「サボる」は、わざと怠けて会社の利益に悪影響を及ぼす労働者の抗議戦術である「Sabotage《サボタージュ》」（動詞は「Saboter《サボテ》」）が由来。綱引きのかけ声「オーエス」は、船乗りたちが綱を引いて帆を上げるときの「Oh hisse《オーイッス》」というかけ声が起源と言われています。

2月26日

とろける塩バターキャラメル

フランスのグルメなおみやげのひとつとして人気の塩バターキャラメル「Caramel《キャラメル》 au《オ》 beurre《ブール》 salé《サレ》」は、ブルターニュ地方の名産です。甘みの中に塩味の効いたキャラメルのおいしさは、一度食べたら１個、また１個とやめられなくなるほど危険。1970年代後半からこの塩バターキャラメルを極め、第一人者となったのが、海辺の町キブロンのショコラティエであるアンリ・ルルー。頭文字をとった「CBS《セベエス》」という名前で商標登録もされている彼のキャラメルは、とにかく絶品。砂糖と有塩バターで作った素朴なキャラメルに、砕いたクルミやヘーゼルナッツ、アーモンドの食感とゲランドの塩の粒がアクセントになっています。歯にくっつかないで口の中でとろける、賞味期限のあまり長くないフレッシュなキャラメル。その後、数多くの類似品が生まれましたが、決してまねのできない逸品です。フランスのさまざまなバターの種類については、340/365を読んでみてくださいね。

27 | février

333 / 365

2月27日

ミックス&マッチの才能

ミックス&マッチに長けたフランス人のセンスには、つくづく感心させられます。老舗メゾン、デザイナーズブランド、ファストファッション、古着、新品、親のおさがり、彼氏から借りたもの…これらいろんなアイテムをごちゃ混ぜにして、なんとも統一感のある、しかも唯一無二の着こなしを作り上げるのだから不思議です。モダンなテーブルやソファに、アンティークの椅子や実家から譲り受けたローテーブルを配置したり、今っぽい料理を骨董市で買ったお皿に盛り付けたり、彼らのミックス&マッチの才能はライフスタイル全般にも発揮されています。同じブランドで固めたトータルルックはカッコ悪いし、お仕着せ感のあるものは服でもインテリアでも避けたいと考える人が多いです。自分の中できちんと咀嚼して、自分なりの表現をすることが彼らにとっての価値観であり、物に対しても、自分に対しても、深い愛情と理解がなければ成し得ることのできない技だと痛感します。

28 | février

334 / 365

2月28日

パリの小さな蚤の市

アンティーク店が並ぶマレ地区の骨董村、ヴィラージュ・サンポールに佇む「Au petit bonheur la chance《オプチボヌールラシャンス》」は、20年来変わらず愛される続けるお店。こぢんまりとした店内には、マダムが集めてきたアンティークの小物がぎっしり陳列され、骨董好きにとって宝箱のような空間です。

壁一面、天井に届くほどの高さがある棚には、カフェオレボウルやピッチャー、キャニスター、カフェの灰皿、伝統的な織りのキッチンクロスがひしめき合うように並んでいます。無造作に打ち付けられた鉄製の住所やホテルのプレート、引き出しの中に隠れたデッドストックのボタンやレースのリボンは、じっくり眺めても飽きない味があります。懐かしい絵柄の包装紙やノート、絵葉書、個性的なキーホルダーなど、いくら時間があっても足りません。店名の通り、小さな幸せをくれる「偶然」の出会いが待っています。

1 | mars

335 / 365

3月1日

フランスの手みやげ事情

友人を食事やホームパーティーに招待したりされたりする機会が、何かと多いフランス。それだけに、招く側になってもあまり肩肘張る必要はないので気が楽です。招かれる立場なら何かしらの手みやげを持っていくのが礼儀ですが、これまたそんなに気合を入れる必要はありません。万人受けするのはやはりチョコレート。小さなボンボン・ショコラが宝石のように入った小箱は日常的に買うほど安くはないので、みんなが喜びます。ワインやシャンパンも定番で、すぐ開けられるようにシャンパンが冷えていたら、ますます最高です。より親しくて好みを知っている間柄なら、前もって伝えてデザートを持参することもあります。ちょっと変わったところでは、特にお祝いでなくても花束や鉢植えを持っていくことも。やっぱりフランスでは何かと気軽にお花を買うのです→ 346/365。一方、フルーツは安くて日常的なものなので、日本ならあり得る果物の手みやげはあまり見かけません。

2 | mars

336 / 365

3月2日

夏のバカンスはどこで過ごす？ それが問題だ。

3月に夏のバカンスの話題なんて早すぎるようですが、多くのフランス人にとって夏休みは重要なイベントのひとつ。雑誌やネットには「次の夏はどこに行く？」という記事がほぼ年中掲載されており、何カ月も前から行き先を決め、準備を進めるのも当たり前です。行き先は国内が最も多く、その半数以上が「海」で、一番人気はプロヴァンス・アルプス・コートダジュール地方などの南仏。一方、田舎でのんびりしたり、ハイキングやサイクリングを楽しんだりする「山」派も増えています。かつては海辺のホテルやキャンプ場に長期滞在するのが一般的でしたが、最近は昔よりも「1カ所滞在型」から「移動型」に変化しつつあるそうです。近場の海外ではスペイン、イタリア、ポルトガル、ギリシャ、モロッコなど地中海沿岸国が上位を占め、より遠くではアメリカとカナダが根強い人気ですが、モーリシャス諸島やタイ、インドネシアもトップ10にランクインしています。

3月3日

おいしいものを少しずつ

前菜、メイン、デザートで構成されるコースにこだわらず、好きな料理を何皿かチョイスして、みんなでシェアしながら楽しめるお店がここ数年でパリにぐんと増えました。一般的なレストランだと、メインは必ず一人一品ずつオーダーし、シェアするのはNGとされているため（デザートならまぁOK)、タパスや居酒屋のようにいろんな料理を分け合って味わうのはフランス人にとって新鮮なスタイルです。ボリュームのある重めの料理は少しずつ敬遠されるようになり、特にディナーは軽く済ませたいと考える人が確実に多くなっています。とはいえ、そこはフレンチ。一見シンプルに見える一品も、上質な食材を厳選し、シェフの技術と個性が感じられる繊細なおいしさで、少量でも満足度が高いです。料理にはヴァン・ナチュール（自然派ワイン）を合わせるのが定番。こういったスタイルのお店は十中八九、自然派ワインの品ぞろえが豊富で、気に入ったボトルを買える場合もあります。

338 / 365

3月4日

もっと、もっと、名前を呼ぼう！

11/365 の他に、もう１つ気づいた挨拶のルールがあります。それは「ボンジュール」とだけ言う私に対して、「ボンジュール、マサヨ」と名前を付けて返してくれる友人が多いこと。初めは意識していなかったものの、繰り返し耳にするうちに、名前を付けた方が感じが良いのかな？ と思うようになりました。まわりのフランス人に聞いてみたところ、やはり名前をプラスすると丁寧な印象になるようで、きっと「ムッシュー」「マダム」を付け加えるのと同じ理屈→ 279/365 なのでしょう。ファーストネームで呼び合う仲でない人には、「ムッシュー（マダム）＋苗字」を挨拶の後に続けます。ただ、「ボンジュール」以外の「オ・ルヴォワール」や「メルシー」に、いちいち名前を付けると少しやり過ぎな感じがするようです。こういった肌感覚は、実際に生活してみないとなかなかわからないものです。

3月5日

国立図書館のデジタルアーカイブ

1368年にシャルル5世の命により創設された王室文庫を引き継ぎ、7世紀以上もの長い歴史を誇るフランス国立図書館は、中世から現在に至るまでの印刷物や書籍など1500万以上もの貴重な資料を保管する、フランスの歴史そのものと言える存在です。それをデジタル化し、一般に公開する目的で1997年に立ち上げられた「Gallica《ガリカ》」は、インターネットさえあれば誰もが無料で閲覧できるというデジタルコンテンツに特化したサイト。現在、600万以上のコンテンツが公開され、歴史的かつ文化的価値の高い膨大な量の資料に圧倒されます。

新聞・雑誌、文学、地図、楽譜、音声データなどさまざまな媒体があり、広告、料理、ファッション、科学、歴史、芸術、スポーツなど、分野も多岐にわたっています。「JAPON《ジャポン》（日本）」で検索してみても面白いですし、掘れば掘るほど興味深いものが見つかる宝の山です。

https://gallica.bnf.fr

3月6日

バター天国

フランスのおいしいバターと聞くと「エシレ」を思い起こす人が多いかもしれませんが、酪農の盛んなフランスには驚くほどの種類のバターがあり、「エシレ」はその中のほんのひとつに過ぎません。原料が生乳か否か、製造方法などでさまざまに分類されますが、とにかくおいしいバターが欲しいなら「Beurre《ブール》 au《オ》 lait《レ》 cru《クリュ》（生乳バター）」「Beurre《ブール》 de《ドゥ》 baratte《バラット》（伝統的なかくはん機を使ったバター）」と書かれたものを選べば間違いありません。「AOP《アオペ》（原産地保護呼称）」に指定され、伝統的な製法が守られている場所として「Isigny《イズィニー》」「Charente《シャラント》-Poitou《ポワトゥ》」などがあり、この名前が付いているバターのおいしさもお墨付きです。無塩バター（Beurre《ブール》 doux《ドゥー》）と有塩バター（Beurre《ブール》 demi-sel《ドゥミセル》、Beurre《ブール》 salé《サレ》）の違いもお忘れなく。無塩バターの方が一般的ですが、ブルターニュ地方だけは昔から有塩バターを好んで使う伝統があります。

7 | mars

341 / 365

3月7日

踊るけど歌わないフランス人

フランスは多くの素晴らしいミュージシャンを生み出してきた国ですが、その一方で、カラオケはほとんど普及しておらず、人前で歌う機会がとても少ないので、一般の人は歌うことにあまり慣れていない気がします。ではフランス人が集まって盛り上がったときに何をするかというと…踊ります。留学生時代、フランス人の知り合いの家の「フェット(Fête)」に呼ばれることが何度かありました。フェットはパーティーと訳すしかないのですが、友人同士で集まる気軽なもの。このフェットが佳境に差しかかると、たいていダンスタイムが始まります。かかっている音楽に合わせて適当に踊るだけなのですが、踊り慣れていない私には拷問のようで、カラオケなら歌うのに…とよく思ったものです。夜中まで続くフランスの結婚披露宴も、最後はダンスタイムがお決まり。若者はもちろん、おじいちゃん、おばあちゃんまでもが張り切って踊りまくる姿はとてもキュートで、素敵な光景です。

駅に響くピアノの音色

2011年、パリのモンパルナス駅でのイベントに使われ、片付けられるのを待っていたピアノを駅の利用者が勝手に弾き始めたのが、物語の始まりです。「何か素敵なことが起こるかも」と予感した駅の担当者は、試しにパリ市内の他の国鉄駅にもピアノを設置。国鉄の社内では、固定しておかないと盗まれたり、そうでなくても壊されたり汚されたりするに違いない、と懐疑的な意見もありましたが、恐れていたことは何も起こらず、それどころか、その評判が広まって、国内の他の駅から「うちにも欲しい」という声が挙がりました。結果、無料で自由に弾けるピアノ100台が全国の駅に正式に置かれたのです。初めて本物のピアノに触れる子どもが遊びで弾いたり、プロのように弾きこなす人が大喝采を浴びたり…ピアノの音色が聴こえてくると、混雑した駅の空気が少しだけ安らぐような気がします。YouTubeでも駅での素敵な演奏動画を見つけることができますよ。

9 | mars

343 / 365

3月9日

カフェはコーヒーを飲むだけの場所じゃない

題名にある言葉に尽きるのですが、フランスのカフェは一言では表せない独特な立ち位置の存在。毎朝、濃いエスプレッソをグイッと飲み干し仕事に向かう会社員、新聞を読む人、カウンター越しに店主と話し込むムッシュー、打ち合わせする作家と編集者、ノートを広げて勉強する学生、特に何をするでもなくワイン片手にぼんやりする人…そこに暮らす人々が訪れては去っていく、交差点のような場所です。

テラス席のある立派なカフェや芸術家に愛された老舗カフェも素敵ですが、はげた部分のある古びたタイルの床に小さな木のテーブルと椅子が並び、年季の入ったカウンターが構える何の変哲もない、どこにでもあるような町のカフェこそが、フランス庶民にとってかけがえのない生活の一部であり、文化のひとつです。日本人が「カフェ」の響きに感じるおしゃれ要素はゼロですが、ビールで少しベタついたテーブル席に着くと、不思議と心が落ち着きます。

10 | mars

3月10日

浮島という名のかわいいデザート

パリのブラッスリーの定番デザートのひとつ「Île《イル》 flottante《フロッタント》」は直訳すると「浮島」を意味し、クレーム・アングレーズ（さらっとしたカスタードソース）の海にふんわりとした白いメレンゲがぽっかりと浮かぶ、見た目にもかわいらしい一皿。主な材料は卵、砂糖、牛乳といたってシンプルで、家庭で手作りする人も多いです。鍋に牛乳を温め（バニラビーンズを入れるとおいしい）、泡立てた卵白をスプーンで丸い島のような形に整えて湯がきます。湯がき終えた牛乳を一度こして、残った卵黄でクレーム・アングレーズを作り、最後はキャラメルソースを大胆にメレンゲにかけ、アーモンドスライスを散らせば出来上がり。メレンゲを使うデザートは卵黄を持て余し気味ですが、これなら全卵が一気に使えて、ムダのない素晴らしいレシピです。お店によっていろんな形や盛り付けの違いがあって面白いので、ぜひパリのビストロで食べ比べてみてください。

11 | mars

3月11日

パリみやげ探しの穴場

パリ市庁舎の北側、リヴォリ通り沿いに、パリ観光局とパリ市オフィシャルのギフトショップを兼ねた「Paris Rendez-Vous《パリランデヴー》」があります。パリ水道局のカラフや、パリ市内の有名スポットをイメージしたお茶、お茶菓子入りの缶や板チョコ、エッフェル塔モチーフのシックな食器、パリらしい絵柄をモチーフにした文房具、パリ市の自転車レンタルサービス「ヴェリブ」モチーフのグッズなど、ここでしか見つからない、そしてなかなかセンスの良いアイテムがそろう、パリのおみやげ探しにぴったりの場所です。パリ観光局の案内所も併設していて、スタッフがパリ観光に関する質問に答えてくれます。パリの地図やツアーの情報をはじめ、各種無料パンフレットもそろうので便利。今やパリ歩きのマストとなったマレ地区の散歩のついでに、ぜひ立ち寄ってみてください。

3月12日

特別じゃない日にも贈るお花

「花のある生活」とよく耳にはするけれど、実感を伴って理解できたのは、フランスに暮らすようになってからのこと。フランス人にとって花を愛でるということは、日常のさりげない仕草のひとつなのだと感じます。誕生日のようなお祝いの日だけでなく、何でもない普通の日にも、フランス人はよく花を買い、好きな人に贈ったり、自宅に飾ったりする習慣が根付いています。友人宅のお呼ばれに、ちょっとしたブーケや鉢植えを手みやげにする→ 335/365のも素敵です。

たいていの人はいざという時頼りになる行きつけのお花屋さんを持っていて、フローリストのセンスと腕に信頼を置いています。朝市に立つお花屋さんの、バケツの中に無造作に入れられた四季折々の花々には素朴な美しさがあり、心をパッと明るくしてくれます。好きな花を何本か買って、水差しや空き瓶を花瓶代わりにしたり、小ぶりのグラスを並べて一輪ずつ挿したり、自由気ままに生けるのも楽しいです。

3月13日

スイーツ男子なんて言葉はいらない

甘い物を好む男性を「スイーツ男子」と呼んで注目するほど、日本では長い間、男性とスイーツは相容れないものだったようです。男が甘い物を喜々として食べるのは恥ずかしい、と思い込んできた男性も多いかもしれません。また、お酒好きは「辛党」で甘い物は苦手、甘い物好きは「甘党」でお酒は苦手、という分け方も浸透していますね。一方、フランスで男性に「あなたは男なのに甘い物が好きなのね」と言ったら、理解してもらえないでしょう。男でも女でも、食事の最後には甘いデザートを食べないとしっくりこないという人が大半です。サロン・ド・テで甘いケーキを頬張っている男性の姿は、女性と同じくらい見かけます。「辛党・甘党」問題も然り。ワインが好きだからといって甘い物が苦手とは限らず、どちらかと言うとお酒もスイーツも両方好きな人が一番多そうです。国が変われば、そんな分類や先入観はまったく意味をなさなくなるという良い例かもしれません。

3月14日

復活祭はチョコレートの香り

「Pâques《パック》（復活祭）」は、十字架にかけられたイエス・キリストが3日目に復活したことを記念する大事な祭日で、その翌日の月曜日も祝日です。年によって日付が変わる移動祝祭日で、3月後半から4月にかけての「春分の日が過ぎてから最初の満月の次の日曜日」に祝われます。3月に入ると、パン屋さんやパティスリーのショーウィンドウ、スーパーの売場が一斉に色とりどりに飾られ、復活祭シーズンの訪れを告げます。豊穣と繁栄のシンボルである卵やヒヨコ、ニワトリ、ウサギのほか、魚、鐘など伝統的に復活祭を象徴するモチーフをかたどったチョコレートが、数多く売り出されます。子どもたちの一番のお楽しみは「Chasse《シャス》 aux《オ》 œufs《ズ》（卵探し）」。家の庭や公園のいたるところに、大人たちが事前に隠しておいた復活祭のチョコレートを、子どもたちが探し出す遊びです。見つけたチョコレートは自分で食べられるので、みんな真剣そのもの。復活祭の日曜日の恒例行事です。

15 | mars

349 / 365

3月15日

春、それは大掃除の季節

日本では年末に大掃除をして、さっぱりとした気持ちで新年を迎えるのが古くからの習わしですが、フランスでは気候の良くなる春にするのが一般的です。ようやく寒さが和らぎ、太陽が顔を出す日も多くなる３〜４月にかけては、窓という窓を開け放って、１年分の汚れを隅々まで洗い尽くすのにぴったりな季節かもしれません。この時期には、雑誌やネットなどいろんなメディアで「Grand《グラン》 nettoyage《ネトワイヤージュ》 de《ドゥ》 printemps《プランタン》（春の大掃除）」や「Le《ル》 ménage《メナージュ》 de《ドゥ》 printemps《プランタン》（春の家事）」という文字が目に付くようになり、普段忘れがちな掃除すべき場所や、必要不可欠な買い物のリスト、分別ゴミや粗大ゴミの捨て方など、大掃除を効果的に進めるコツやテクニックが紹介されます。スーパーにも春の大掃除に向けたコーナーが設けられ、用途別のさまざまな洗剤や便利な掃除グッズなどがずらりと並び、否が応でも掃除をしなくては…という気持ちにさせられます。

16 | mars

350 / 365

3月16日

シルヴプレは魔法の言葉

「シルヴプレ（S'il vous plaît）」は英語の「Please《プリーズ》」と同じ要領で、何かをお願いするときにフレーズの最後に付けるイメージが強い単語ですが、それ以外の場面でもよく耳にします。まず、お店で店員さんを呼び止めるときに、日本語の「すみません」と同じ感覚で使えます。英語の「Excuse《エクスキューズ》 me《ミー》」に似た「Excusez-moi《エクスキュゼ モワ》」より「シルヴプレ」の方がより自然に聞こえます。

もうひとつは、物の名前に「シルヴプレ」を付ければ、簡単に自分の希望を伝えられます。コーヒー１杯なら「Un《アン》 café《カフェ》, s'il《スィル》 vous《ヴ》 plaît《プレ》」。道を尋ねたり、タクシーで行き先を伝えたりするのにも「Musée《ミュゼ》 du《デュ》 Louvre《ルーヴル》, s'il《スィル》 vous《ヴ》 plaît《プレ》.（ルーヴル美術館までお願いします）」で済んでしまうからとても便利。とはいえシンプルな反面、横柄にも聞こえかねないので、笑顔で優しくお願いするよう心がけましょう。

3月17日

気軽に謝るフランス人、意地でも謝らないフランス人

カフェで隣り合わせたり、バス停で待っていたりするときに、知らない人同士でも目配せをしたり、会話が始まったりするのはフランスではよくあることです。例えばメトロの駅の大半がバリアフリーではなく不便な代わりに、階段で困っているベビーカー持ちのお母さんがいると、たいてい誰かが手助けしてくれるような人情味があります。そういう他人との距離感を表すように、街でちょっとぶつかったり、歩く邪魔をしてしまったりしたときには、みんな気軽に「Pardon《パルドン》」と謝ります。この習慣が社会の潤滑油になっているようです。一方、よりシリアスな状況で謝るなら「Excusez-moi《エクスキュゼ モワ》」と言いますが、どちらが悪いかが明らかではないときや、自分に多少非があるときでも、とりあえず「すみません」と謝ってその場を収める、なんてことは意地でもしない人が多いです。内容によっては軽く流した方が楽だろうに…と、日本人である私はついつい思ってしまいます。

18 | mars

3月18日

一度は味わいたい焼き立てカヌレ

ボルドー地方の名産カヌレは、小麦粉、卵、牛乳、砂糖を混ぜたバニラ風味の生地を、釣鐘《つりがね》の形をした専用の焼型に入れてこんがりと焼き上げたお菓子。キャラメリゼされて濃いめの焦げ茶色をした外側の香ばしさと、黄金色のしっとりした中身とのコントラストがなんとも絶妙なおいしさです。一見シンプルな材料の素朴なお菓子に見えますが、実はプロのパティシエでも作るのが難しい、デリケートなお菓子と言われています。もうひとつ大事なのが、時間。フランス国内のパティスリーはもちろん、日本でも20年ほど前に流行して以来、洋菓子店やパン屋さんでよく見かけるようになりましたが、皮がやわらかく、噛むとゴムのような弾力を感じる、残念なカヌレも多いのです。これは作り手の腕の問題というよりも、焼いてからの経過時間が原因。どんなに腕の良い職人が作っても、翌日にはもうおいしさが半減するほど、カヌレは新鮮さが命なのです。

19 | mars

353 / 365

3月19日

ブーケ・シャンペトル

ホテルやレストランに飾られたゴージャスで華やかなアレンジメントや、お祝いに贈るボリュームのあるブーケも素敵ですが、私が特にフランスらしさを感じるのは、「ブーケ・シャンペトル（Bouquet champêtre）」と呼ばれる花束。田園風、野原のブーケと訳せます。ドラクロワの作品にもあるように、野原で摘んできた草花を水差しなどに生けて、自然そのままの美しさを愛でるのが本来の姿でしたが、今ではフローリストの手によって洗練され、ひとつのジャンルとして確立されています。ヒナギク、アカツメクサ、ジャスミン、カモミール、木苺やすぐりの枝、麦の穂、ユーカリの葉など、バラやユリのような派手さはないけれど、控えめで可憐な美しさがこの花束の「らしさ」です。無造作に束ねたような絶妙なハズしや抜け感が身近に感じられ、束のまま生けても、一輪ずつ挿しても絵になり、「花のある生活」を始めるきっかけになってくれるかもしれません。

3月20日

マカロンの日

3月20日はマカロンの日。小さくて丸くコロンとした形がかわいいマカロンは、砂糖と卵白、アーモンドを使った焼き菓子です。2つのマカロンの間にクリームを挟んだ、フレーバーごとに色の違うカラフルなお菓子で、ラデュレやピエール・エルメを思い浮かべる人が多いと思いますが、実はこれは「パリ風マカロン」と呼ばれ、マカロンのひとつの形でしかありません。より古くからフランスに伝わるマカロンは、香ばしく焼き上げたサクサクのお菓子なのです。

中でも有名なのは、南仏アルデッシュ地方で1571年、カトリーヌ・ド・メディシスがジョワイユーズ公爵の結婚式のためにイタリアからレシピを伝えたといわれる、「マカロン・ドゥ・ジョワイユーズ」。パリ風マカロンと違って日持ちもするので、おみやげにぴったりの一品です。

21 | mars

3月21日

歩くだけで気分が上がる街

　フランス生活も20年近くになり、忙しない毎日に埋没していると、どこに住んでいても同じような気さえしてくるのですが、そんなとき、「ああ、今私はパリにいるんだ。何て美しい街だろう」と再確認できる場所がいくつかあります。例えばエッフェル塔やルーヴル美術館、ノートル・ダム大聖堂などを眺めながらセーヌ川の橋を渡るときや、シャンゼリゼ大通りのメトロの出口から出て目の前に凱旋門がそびえているとき…その瞬間にエネルギーがチャージされて、幸せな気持ちに満たされるスポットがパリにはたくさんあります。

　毎日の通勤や買物で歩く道すがら、ふと見上げると何百年もの歴史を持つ建物が変わらず並んでいたり、中世からそのまま残されたような石畳の道があったり、歴史上の人物がここに住んでいましたよ、と看板が教えてくれたり…ただ歩いてまわるだけで心が踊る、パリはそんな魅力にあふれた街です。

3月22日

パリジャンは魚より肉派？

キリスト教では、イエス・キリストが十字架にかけられて処刑された日が金曜日だったことから、復活祭前の金曜日を「聖金曜日」として記念します。特にカトリック教会ではこの日、肉や乳製品、卵などの動物性の食べ物を避ける習慣があり、代わりに魚を食べるようになりました。フランスでも、「金曜日は魚を食べる日」という伝統が今も残っています。逆に言えば残りの曜日は肉を食べるのが普通で、フランス人の魚の消費量は肉の３分の１です。肉も魚も種類によって値段にはもちろん幅があり、1kgあたりの価格帯は大きく違わないのですが、同じ量を食べたときの腹持ちや摂取カロリーは当然違うので、感覚的には魚の方が肉よりも高いという印象を持つ人が多いようです。

とはいえ最近のヘルシーブームで魚のメリットが見直されていることや、昔ほどガッツリ肉食の人が減ってきた印象から、フランスでも魚の消費量がこれからだんだん増えてくるかもしれません。

3月23日

パリの本屋さん巡り

華やかな美しさのあるパッサージュ、ギャルリー・ヴィヴィエンヌに佇む「ジュソーム書店」は、古書を多く扱う老舗。19世紀の面影が残る店内には、パリの古地図や芸術本など立派な装丁の本が所狭しと並び、通路にもワゴンいっぱいの書籍や絵葉書が陳列されていて、立ち寄りやすい雰囲気。1700年創業の「ドゥラマン書店」はルーヴル美術館にも近く、地元民から旅行者まで、今も街の本屋さんとして愛され続けるパリ最古の書店。長い歴史が刻まれた書棚は一見の価値あり。ノートル・ダム大聖堂を臨む「シェイクスピア&カンパニー」は、お金に困った若き作家たちを寝泊りさせていた逸話のある左岸の名物店。深夜0時まで開いている「レキュム・デ・パージュ」は、眠れない読書家たちの心強い味方。サン・マルタン運河沿いにある赤いファサードが目印の「アルタザール」や北マレ地区の「Ofr.《オーエフエール》」は、アート関連のセレクトにかけてはパリで一二を争う存在です。

3月24日

誕生日のお祝いは自分で？

　誕生日には、家族や友人がバースデーケーキやプレゼントを準備して、その日の主役を囲んでお祝いするのが一般的ですが、フランスではさらに、誕生日を迎えた本人がお菓子やキャンディーをクラスメイトや同僚に配る習慣があります。この日だけはボンボンを持ってきてもよし、としている幼稚園や小学校は多く、大人の場合は、会社の同僚にちょっとしたお菓子を振る舞ったり、友人と食事をして誕生日の主役が支払ったりというパターンもあります。もちろん義務ではないし、逆に気を使わせてしまう（誕生日だと知らずにプレゼント準備してない！など）こともあるので、どんな関係かにもよるようです。

　キャンドルを吹き消す前に歌うのは、アメリカ生まれのハッピーバースデーのフランス語版が定番。「Joyeux anniversaire《ジョワイユザニヴェルセール》」の繰り返しで、３回目の「ディア誰々」に当たる部分は、ファーストネームだけはめ込んで歌うので簡単です。

3月25日

フランス語を守る闘い

フランス語を統一し、より完璧な言語にする目的で1635年に設立された、アカデミー・フランセーズ。400年近い時を経た現在も正統なフランス語を守る組織として有名ですが、現在、実際にフランス語のお目付け役となっているのは、1996年制定のトゥーボン法です。公共性の高い場所での仏語使用、ラジオで聴取率の高い時間帯は最低40%を仏語楽曲にすること、広告に使う外国語には仏語訳を付記することなどを義務付けています。その背景には、外国語、特に英単語をそのまま使う人が増えてきたことへの警戒感があります。新語が登場するたびに「ウォークマン」は「Baladeur《バラドゥール》」、「eメール」は「Courriel《クリエル》」などの対訳が提案されますが、結局は英語のまま使う人が大半。「Week-end」や「Shopping」などはもう完全に浸透しました。ITをはじめさまざまな分野でさらに新語が増えた今、時代の流れに逆らうのはますます難しくなっています。

3月26日

大好きなサントノレ

フランスで初めて食べて大好きになったパティスリーのひとつに「サントノレ（Saint-Honoré)」があります。パイ生地の台の上にカスタードクリーム入りのプチシューをのせ、シブーストクリーム（カスタードにイタリアンメレンゲとゼラチンを合わせたもの）と生クリームで飾った、かわいらしい姿の伝統菓子。シュー生地はひとつずつ飴がけされていて、かじるとキャラメルのカリカリと、クリームのふわふわが一気に口の中に広がり、それはもう至福のひとときなのです。名前の由来は、このケーキを生んだ菓子職人シブーストが、パリのサントノレ通りにお店を構えていたことから。もちろん、シブーストクリームもこの職人の発明で、さらに「サントノレ口金」という独特の形をした口金の生みの親でもあります。今はいろんなパティシエが工夫を凝らしたサントノレを作っているので、いつか食べ比べツアーをしてみたいと思っています。

3月27日

オーガニック大国フランス

有機栽培はフランス語で「Agriculture《アグリキュルチュール》 Biologique《ビオロジック》」、略して「ビオ(BIO)」と呼びます。フランス農務省による「AB」マークや、EUによる葉っぱのマークなどの認証ラベルは、厳しい基準に基づいた検査に合格しなければ取得できません。化学肥料や農薬を使わずに育てた農作物はもちろん、加工食品についても原材料の95%がビオでなければならず、保存料や合成着色料、香料なども使えません。

フランスではここ20年ほどの間にビオの普及がぐんと進み、その市場規模はドイツに次いでヨーロッパ第2位。食の安全性はもちろん、健康や地球環境への関心が高まっているのが大きな理由です。ビオ専門店が続々と誕生し、一般的なスーパーにも必ずビオのコーナーがあるほど広がっていて、価格が高めなのにもかかわらず、71%のフランス人が月に一度はビオを買うと回答しています。パリには30年以上にわたって毎週日曜日に立つ、ビオ専門のラスパイユ市場もあります。

28 | mars

362 / 365

3月28日

夏の訪れ、サマータイム

フランスでは毎年３月の最終日曜日に冬時間 → 210/365 から夏時間に代わり、時計の針を１時間進めます。この日を境に日の入りが夜７時頃から１時間延びて８時頃になり、どんどん日が長くなっていき、６月の夏至をピークに、夜10時近くまで明るく長い夏の夜を満喫できます。冬時間の場合は遅刻の心配がありませんでしたが、サマータイムは昨日までの朝８時が突然９時になるので、目覚まし時計の時間を変更し忘れると大変なことになります。街角の時計もまったくあてにならないので、自分できちんと合わせた腕時計や、自動的に変わるスマホを確認します。以前、空港に向かうタクシーの中で、デジタル表示の時計を見て安心していたら冬時間のままで慌てた、という話を聞いたことがあります。仕事や学校に遅れるのも避けたいですが、この日に電車や飛行機に乗る人は、いつも以上の注意が必要なのです。

※ EU 圏内の夏・冬時間移行の廃止が決定し、2021 年以降に施行予定。

363 / 365

3月29日

面白いフランス語の言いまわし［その他編］

日常でよく使われている面白い言いまわしをいくつか紹介します。

◆**Avoir《アヴォワール》 un《アン》 coup《クー》 de《ドゥ》 foudre《フードゥル》（雷に打たれる）**

ひとめ惚れする。ビビビと電撃が走る感じがよく表されています。

◆**Les《レ》 doigts《ドワ》 dans《ダン》 le《ル》 nez《ネ》（鼻に指をつっこんで）**

そんなの余裕、簡単さ！ という意味。指が複数形になっているのが謎。

◆**Avoir《アヴォワール》 la《ラ》 tête《テット》 dans《ダン》 les《レ》 nuages《ニュアージュ》（雲の中に頭を突っ込んでいる）**

夢見がちな人を表し、雲に頭を突っ込んでいる姿を思い浮かべると面白い。

◆**Aller《アレ》 comme《コム》 un《アン》 gant《ガン》（手袋のようにぴったり）**

手袋だけでなく、服などのサイズが自分にぴったり合う、似合うことを指します。

◆**Faire《フェール》 du《デュ》 cirque《シルク》/cinéma《シネマ》（サーカス／映画をする）**

大げさに振る舞う。これ見よがしに泣く子どもに対してもよく使います。

◆**Connaître《コネートル》 comme《コム》 sa《サ》 poche《ポッシュ》（自分のポケットのように知っている）**

隅々まで熟知している。日本で言う「自分の庭」に比べるとスケールが小さいです。

30 | mars

364 / 365

3月30日

フランスの日常生活に欠かせないマルシェ

中世から存在するマルシェ（市場）は、今も変わらずフランスの庶民の食生活を支えていて、新鮮な野菜や果物、肉や魚を買うならスーパーではなくマルシェで、と決めている人も多いです。マルシェに並ぶ新鮮で手頃な野菜や果物は、農業大国フランスの象徴。アーティチョークや根セロリなど日本ではなかなかお目にかかれない野菜も多く、見ていて飽きません。チーズを味見させてもらったり、食べ頃の果物を選んでもらったり、旬の野菜を教えてもらったり、お店の人とのやりとりを楽しむのも、マルシェでのお買い物の醍醐味です。

パリ市内では１週間でマルシェの立たない日はないほどいたる所にあり、それぞれの地区の雰囲気を映し出す鏡でもあります。地方都市のマルシェに行けば、魚介類やチーズ、フォアグラや蜂蜜などの特産品が並び、地方ごとの魅力を発見できます。地元の人たちでにぎわうマルシェを訪れれば、その土地に暮らす感覚をちょっぴり味わえます。

31 | mars

3月31日

エッフェル塔が生まれた日

「鉄の貴婦人」の愛称で親しまれ、パリ、そしてフランスを象徴するエッフェル塔。1889年5月に開幕するパリ万博のシンボルとして、セーヌ川左岸のシャン・ド・マルスに高さ300mの鉄の塔を建てることになり、エッフェル社の計画案が選ばれました。工事期間2年2カ月5日という、当時としては驚くべきスピードで、1889年3月31日に完成。今では見慣れたその姿も、当時の人にはとても奇抜に映ったようで、モーパッサンやデュマなど著名な芸術家たちが建設反対を表明したといいます。1889年と1900年のパリ万博で数多くの人がエッフェル塔を訪れましたが、その後は入場者数が減り、一時は解体の危機も。それを救ったのは、軍事用の無線電波を送受信する電波塔としての活用が決まったためでした。紆余曲折を経ながらも、パリの街を悠然と見下ろし続けるエッフェル塔。今では毎年700万人近い人が訪れる、世界で最も入場者数の多い有料モニュメントです。

TRICOLOR PARIS | トリコロル・パリ
https://tricolorparis.com

フランス在住の日本人ふたり組（荻野雅代・桜井道子）が2010年に立ち上げたパリとフランスの情報サイト。おすすめブティックやレストラン、イベントなどの観光情報はもちろん、フランスのニュース、パリの天気を毎日の服装で伝える「お天気カレンダー」など、独自の目線でフランスの素顔をお届けしている。著書に『歩いてまわる小さなパリ』（大和書房）、『パリが楽しくなる！ かんたんフランス語』（パイ・インターナショナル）、『パリでしたい100のこと 大好きな街を暮らすように楽しむ旅』（自由国民社）などがある。

フランスの小さくて温かな暮らし365日
大切なことに気づかせてくれる日々のヒント

2021年3月5日　初版第1刷発行
2021年11月18日　初版第7刷発行

著　者　荻野雅代　Masayo Ogino Chéreau
　　　　桜井道子　Michiko Sakurai Charpentier

デザイン　白畠かおり
編　集　上野　茜

発行者　石井　悟
発行所　株式会社 自由国民社
〒171-0033 東京都豊島区高田3-10-11
電話 03-6233-0781（営業部）03-6233-0786（編集部）
https://www.jiyu.co.jp/
印刷所　株式会社 光邦
製本所　新風製本株式会社